Jean·Baptiste Pigalle

Sculptures
du Musée du Louvre

En couverture :
Pigalle.
*Mercure attachant
ses talonnières.*
Marbre.

Ci-contre :
Mme Roslin.
Portrait de Pigalle.
Pastel, 1770,
Louvre
(Cabinet des Dessins).

Monographies des musées de France

Jean·Baptiste Pigalle

1714·1785

Sculptures
du Musée du Louvre

par Jean-René Gaborit
*Conservateur en chef du département des sculptures
du Musée du Louvre*

Ministère de la Culture
Editions de la Réunion des musées nationaux
Paris, 1985.

Jean-Baptiste Pigalle

● L'incontestable célébrité du sculpteur Jean-Baptiste Pigalle repose peut-être en partie sur un malentendu. Parce que la protection de Madame de Pompadour lui fut acquise durant une certaine période de sa carrière, on a hâtivement crédité l'ensemble de son œuvre de cette grâce légère, de cette élégance spirituelle et un peu affectée qui seraient les caractéristiques de l'art français du XVIIIᵉ siècle dans son ensemble, et en particulier du « style Pompadour ». Il n'est pas jusqu'à la réputation, universelle mais de médiocre aloi, de la « Place Pigalle », qui n'ait, inconsciemment sans doute, contribué à confirmer auprès du grand public ce renom de frivolité.

Il est paradoxal, dans ces conditions, et peut-être téméraire d'affirmer que Pigalle est un artiste sérieux. Tout ce que l'on sait de sa vie, de ses mœurs, de sa carrière et de ses œuvres authentiques plaide pourtant en ce sens. Mieux que les récits, toujours un peu édifiants, de ses plus anciens biographes (Mopinot, Dezallier d'Argenville, Suard, Tarbé)[1], les documents d'archives nous permettent d'esquisser un portrait de l'homme : laborieux, modeste à sa façon mais parfois obstiné jusqu'à l'entêtement, scrupuleux et ponctuel dans ses engagements, passablement âpre au gain, soucieux de respectabilité, point dédaigneux des honneurs mais nullement intrigant. Rien dans sa vie n'évoque le libertinage ni même un certain laisser-aller bon enfant, assez répandu dans le monde artistique du XVIIIᵉ siècle, qui ne s'appelle pas encore la Bohème. L'œuvre, pris dans son ensemble, et examiné sans préjugé paraît singulièrement cohérent avec la personnalité de l'artiste : ses créations sont parfois aimables, jamais galantes, bien plus souvent simples, nobles et graves.

Il n'est pas douteux que Jean-Baptiste Pigalle ait été très marqué par son milieu familial. Devenu riche et célèbre, il eut plutôt tendance à embellir quelque peu ses origines : lors de la rédaction de son contrat de mariage, en 1771, il fit donner à son père, Jean Pigalle, la qualité d'entrepreneur des bâtiments du Roi[2]. Mais qui se souvenait alors que ledit Jean Pigalle, mort en 1728, n'avait été qu'un simple menuisier, descendant il est vrai d'une véritable dynastie de menuisiers, installée déjà depuis trois générations dans le quartier de la Porte Saint-Martin ; de son mariage avec Geneviève le Dreux il avait eu quatorze enfants ; Jean-Baptiste né le 26 janvier 1714 était le septième et à la mort de son père il était le plus jeune des cinq enfants survivants.

Par relation de voisinage sans doute, le jeune garçon était alors déjà entré dans l'atelier de Robert Le Lorrain, qui habitait rue Meslay, tout près donc de la rue Neuve-Saint-Martin (actuellement rue Notre-Dame de Nazareth) où se trouvait l'atelier de menuiserie de Jean Pigalle[3]. Au départ de son maître pour l'Alsace, où l'appelait le Cardinal de Rohan, en 1735, il alla travailler chez Jean-Baptiste II Lemoyne, lui aussi élève de Robert Le Lorrain. La plus ancienne œuvre connue de Pigalle, la *Tête de Triton* (musée de Berlin-Dahlem) signée et datée précisément de 1735, témoignerait (si l'on en accepte l'authenticité) de la forte influence de Lemoyne sur le jeune artiste.

Il est probable que, depuis un certain

I.S.B.N. 2-7118-2.029-7
© Éditions de la Réunion des musées nationaux
Paris, 1985.
10, rue de l'Abbaye, 75006 Paris.

nombre d'années, parallèlement à son apprentissage, Pigalle suivait l'enseignement dispensé par l'Académie; en 1735 il se présenta au Concours mais subit un échec; si l'on en juge par ses œuvres ultérieures, le sujet ne lui convenait guère car il lui avait fallu traiter en bas-relief un thème biblique : «*Rebecca recevant les présents d'Eliezer*» ; or les rares reliefs exécutés par Pigalle ont tous disparu et paraissent avoir été des pièces assez secondaires ; compte non tenu des «morceaux de concours» aucun à une exception près n'était de caractère narratif[4]. Lorsque bien plus tard, en 1774, le programme iconographique dicté par l'abbé Terray pour l'ornement de son hôtel lui imposa d'orner le socle de sa statue de l'*Abondance* d'un relief représentant une *Scène de labourage*, il préféra en confier l'exécution à son neveu Jean-Pierre Pigalle.

Malgré son échec, Pigalle décida de faire seul et à ses frais le voyage de Rome. Peut-être fut-il encouragé dans son entreprise par Lemoyne; celui-ci en effet, quoique vainqueur au concours de 1725 avait été contraint de renoncer, pour de graves raisons familiales, au séjour à l'Académie de France ; cette lacune dans sa formation lui fut toute sa vie, reprochée[5]. Il est donc possible que Pigalle, conscient du handicap que représentait déjà son échec au concours, ait voulu forcer la chance avec l'espoir d'être plus ou moins agrégé à l'Académie une fois arrivé à Rome ; ce qui lui fut en effet permis par une décision du duc d'Antin du 7 octobre 1736[6].

Le voyage d'Italie supposait des ressources relativement importantes ; Pigalle n'était pas sans doute aussi dépourvu qu'on a voulu l'admettre puisqu'il atteignit son but ; mais

3

la tradition veut qu'à Rome même il n'ait pu survivre que grâce à l'aide de Guillaume II Coustou, son rival heureux au concours de 1735.

On sait peu de choses de l'activité de Pigalle à Rome. Aucune trace ne demeure de commandes pour des églises ou des palais qu'il aurait pu accepter librement, n'étant pas pensionnaire de l'Académie. L'événement le

1

2

1/ Hubert Drouais. *Robert Le Lorrain*. Huile sur toile, 1730. Louvre.

2/ Augustin Pajou. *Jean-Baptiste II Lemoyne*. Bronze, 1758. Louvre.

3/ Jean-Baptiste Pigalle. *Tête de triton*. Terre cuite, 1735. Berlin-Dahlem.

plus marquant de son séjour paraît avoir été l'affaire du concours de l'Académie de Saint-Luc. Suspendus en 1733, du fait de la guerre de la Succession de Pologne, les concours de cette Académie furent rétablis en 1738. Mais pour marquer son hostilité à Annibal Albani, cardinal camerlingue, protecteur de l'Académie, partisan d'Auguste de Saxe contre Stanislas Leczinski, le duc de Saint-Aignan, ambassadeur de France, fit défense aux Français de concourir. En décembre 1738 Pigalle s'inscrivit cependant sous le nom de Giovanni Pichal, et comme Avignonais (donc sujet du Pape et non du Roi de France); il exécuta un bas-relief «*Aman devant Esther et Assuerus*» puis, lors d'une épreuve improvisée un second relief «*Suzanne et les deux vieillards*» et obtint le 2ᵉ prix. A la demande de l'Ambassadeur il ne se rendit pas à la cérémonie du Capitole pour recevoir sa récompense; de Troy directeur de l'Académie obtint pour lui, du Roi, une médaille d'or[7]. Son séjour à Rome lui permit en tous cas de nouer certaines amitiés (Guillaume II Coustou, Cochin, le peintre Boizot, futur gendre d'Oudry) mais il est bien difficile de cerner exactement l'influence que ces trois ans passés en Italie exercèrent sur le développement de son art. L'Antique fut sans doute, comme pour la plupart des sculpteurs, au centre de ses études[8] mais sans engendrer par la suite des réminiscences trop précises. Sans doute n'a-t-il pas échappé à l'influence, elle aussi presque inévitable, de Raphaël et des Carrache. Mais un texte relativement tardif révèle d'autres curiosités: au cours d'une conversation avec l'un des Pères bénédictins de Saint-Germain-des-Prés, lors de la commande d'une *Assomption de saint Maur* pour l'une des chapelles de cette église, Pigalle aurait parlé avec admiration de l'*Apothéose de saint Ignace*, exécutée par Pierre II Legros pour le Gesu de Rome[9]. Peut-être peut-on en conclure que les «grandes machines» des églises de Rome et particulièrement certains tombeaux pontificaux ne laissèrent pas le jeune artiste indifférent et qu'il fut sensible au soin apporté à la mise en scène et aux effets d'ombre et de lumière des grands ensembles de la ville pontificale. Du Quesnoy et l'Algarde ont sans doute autant retenu son attention que le Bernin ou Rusconi.

En 1741 Pigalle est de retour à Paris; sur le chemin du retour il aurait séjourné plusieurs mois à Lyon mais les maigres renseignements dont on dispose à propos de ce séjour sont plutôt contradictoires; il aurait été dans cette ville à la fois chargé d'importantes commandes par divers ordres religieux et trop démuni pour pouvoir regagner Paris sans l'aide secourable de quelques particuliers. Peut-être doit-on maintenir à l'actif de Pigalle le décor de trois des pendentifs de la Coupole de l'église des Chartreux: Soufflot, que Pigalle avait sans doute connu à Rome, semble être intervenu sur ce chantier peu après 1738 et c'est peut-être à sa demande que d'autres jeunes artistes, de retour de Rome, travaillèrent au décor intérieur: Trémollières (*l'Ascension* et *l'Assomption*), Boudard (baldaquin) et Hallé[10].

Le 4 novembre 1741 Jean-Baptiste Pigalle est agréé à l'Académie royale sur présentation d'une figure de *Mercure* qui, avec pour pendant une *Venus*, fut exposée au Salon de 1743. L'exécution en marbre de ce *Mercure*

1

2-3

4

lui fut ordonnée comme morceau de réception et il put satisfaire assez rapidement à cette obligation puisqu'il fut reçut académicien le 30 juillet 1744.

La période qui séparait l'agrément de la réception était souvent pour les jeunes sculpteurs particulièrement difficile car le morceau de réception consistait pratiquement toujours, depuis le début du XVIIIᵉ siècle, en une figure de marbre demi-nature dont l'attitude et les accessoires étaient choisis pour mettre en valeur la virtuosité technique du postulant. Celui-ci devait donc acquérir un bloc de marbre, payer un praticien pour le dégrossissage et consacrer ensuite un temps considérable à l'exécution proprement dite. Bien que le titre d'Académicien facilitât l'accès aux commandes royales, aux honneurs et aux pensions, beaucoup de sculpteurs ne se hâtaient point de se faire recevoir : le titre d'agréé leur suffisait pour exposer au Salon, donc pour se faire connaître et pour bénéficier de commandes privées, moins glorieuses mais plus immédiatement rémunératrices que celles de l'administration des bâtiments du Roi, presque toujours soldées avec retard.

Pigalle ne suivit pas cette ligne de conduite qui fut par exemple celle de Nicolas-Sébastien Adam (reçu seulement en 1762 soit 27 ans après son agrément) ou plus tard de Clodion (agréé en 1773 et jamais reçu académicien). Mais tout en travaillant au marbre de son *Mercure*, il obtint sa première commande officielle : un *Vase* orné des attributs de l'Automne, pour le château de Choisy. Il s'agissait en fait d'une série de quatre vases qui selon une pratique habituelle les Bâti-

7

ments du Roi avaient été répartis entre plusieurs artistes : les deux *Vases aux attributs du Printemps* avaient été confiés à Jacques Verbeckt (1704-1771), qui avait déjà derrière lui plus de dix ans d'expérience, essentiellement comme sculpteur ornemaniste et Pigalle a pu, à diverses reprises, le côtoyer sur les chantiers des châteaux de Bellevue, Crécy et Saint-Hubert. L'un de ces deux Vases est aujourd'hui au Louvre ; l'autre demeuré à la fin du XIXᵉ siècle dans le parc de la «Petite Mal-

5

6

1-4/ *Les Quatre Evangélistes.* Stuc. Lyon, église de la Chartreuse (trois des reliefs seraient de Pigalle).

5/ Nicolas-Sébastien Adam. *Vase de l'Automne*. Marbre. New York, Metropolitan Museum.

6/ Jacques Verbeckt. *Vase du Printemps*. Marbre. Louvre.

7/ Jean-Baptiste Pigalle. *Vase de l'Automne*. Marbre. New York, Metropolitan Museum.

maison» semble avoir totalement disparu. Les deux *Vases aux attributs de l'Automne* aujourd'hui au Metropolitan Museum de New York furent partagés entre Pigalle et Nicolas-Sébastien Adam (1700-1759)[12] dont le frère Lambert-Sigisbert travailla aussi pour Bellevue mais devait lors de la commande du *Monument de Louis XV* à Reims se poser en concurrent de Pigalle[13].

Si modeste qu'elle ait été, cette première commande royale mettait Pigalle sur un pied d'égalité avec des sculpteurs plus âgés que lui et l'on peut supposer qu'il disposait de quelque appui au sein de l'administration des Bâtiments du Roi. Lemoyne qui était autant son ami que son maître a pu intervenir ; le duc d'Antin surintendant des bâtiments, qui avait protégé le début de sa carrière, était mort en 1736. Il est possible, comme on le verra plus loin, que le contrôleur général Orry qui assurait la Direction des bâtiments ait déjà songé à lui confier une commande plus importante. Mais la famille Pigalle avait aussi des liens directs avec le service des Bâtiments : Pierre Pigalle, frère aîné du sculpteur, y avait un poste de peintre « arrangeur » au service de Portail, garde des tableaux du Roi ; une de leurs sœurs, Geneviève-Charlotte, avait épousé un fils du peintre Allegrain ; ami de Jean-Baptiste Boizot, devenu gendre d'Oudry et dessinateur aux Gobelins ; toutes ces relations ont pu jouer en faveur de Pigalle car, au sein d'une telle administration, l'efficacité d'une recommandation n'était pas toujours liée à la position de son auteur dans la hiérarchie sociale.

On a tenté de situer d'autres œuvres dans cette période de la vie de Pigalle qui sépare

1

son agrément de sa réception à l'Académie. Peut-être est-ce effectivement en 1743-1744 qu'il exécuta le *Mausolée du cœur du Prince René de Rohan-Soubise* dans l'église de la Sorbonne car il est vraisemblable que l'abbé de Montjoie fit ériger le monument peu après la mort du prince, son ami, décédé en 1743. Mais rien ne prouve que ce soit sur la recommandation de Robert Le Lorrain sculpteur attitré des Rohan que l'on ait fait appel à Pigalle : il ne s'agissait pas en effet d'une commande de la famille et Robert Le Lorrain, gravement malade depuis le mois de novembre 1742, était mort le 1er juin 1743[14].

Les autres commandes que l'on a voulu situer pendant la même période c'est-à-dire les reliefs (disparus) de Saint-Louis du Louvre et des Enfants-Trouvés, paraissent nettement postérieurs et sont peut-être à attribuer à la protection du comte d'Argenson, ministre de la Guerre depuis 1742.

2

3

Celui-ci pourrait être considéré comme le véritable découvreur de Pigalle. En effet sur les quatre œuvres exposées par le sculpteur au Salon de 1745, deux sont des commandes de d'Argenson : c'est en tant que ministre de la Guerre qu'il avait demandé à Pigalle une *Vierge à l'enfant* (aujourd'hui dans l'église Saint-Eustache), pour l'église des Invalides afin de remplacer une statue en plâtre de Corneille Van Cleve[15] ; l'autre œuvre était une commande privée puisqu'il s'agissait du modèle d'un *Christ* en plomb destiné à l'église du couvent de la Madeleine de Traisnel, où se trouvait le tombeau de Marc-René d'Argenson, Garde des Sceaux († 1721)[16]. Au même Salon figurait aussi une tête en plâtre du *Mercure* certainement de grande dimension, par laquelle Pigalle souhaitait peut-être rappeler que le Contrôleur général Orry, disgracié au début de l'année 1745, avait commandé des versions monumentales du *Mercure* et de la *Vénus* qu'il lui avait donnée pour pendant dès le Salon de 1742[17].

La commande du grand *Mercure* ne fut confirmée qu'en 1746 et son exécution dura deux ans ; parallèlement Pigalle modifia le modèle de la *Vénus* (le modèle en grand parut au Salon de 1747), fut chargé de sculptures décoratives pour Choisy et sculpta aussi sans doute les deux reliefs déjà mentionnés de Saint-Louis du Louvre[18] et des Enfants-Trouvés (dont la chapelle avait été reconstruite par Boffrand en 1747-1748)[19].

L'achèvement du grand *Mercure* en 1748 marque une étape décisive dans la carrière de Pigalle et lui assure un rang à part parmi les artistes de son temps. Comme, par une décision toute politique, il avait été décidé que

4

1/ *Portail de Saint-Louis du Louvre* (d'après Blondel, l'*Architecture française*).

2/ D'après H. Rigaud. *Le comte d'Argenson.* Huile sur toile, Versailles, Musée national du Château.

3/ *Vierge à l'enfant*, estampe par Nicolas Cochin (1739) d'après la statue de Corneille Van Cleve pour l'église des Invalides.

4/ Jean-Baptiste Pigalle. *Vierge à l'enfant.* Marbre. Paris, église Saint-Eustache.

1

cette œuvre (avec d'autres statues commandées par les Bâtiments du Roi et sans destinations précises) serait offerte à Frédéric II de Prusse, Le Normant de Tournehem, oncle de Mme de Pompadour et Directeur des Bâtiments depuis la disgrâce d'Orry, fit, par une mesure exceptionnelle, porter la statue au château de la Muette afin que le Roi eût

l'occasion de la voir avant le départ du convoi pour Berlin[20]. La commande d'un *buste de Mme de Pompadour* (aujourd'hui au Metropolitan Museum de New York) vint sanctionner ce succès : mais l'honneur était périlleux puisque Pigalle devait à la fois s'attaquer pour la première fois de sa carrière au genre du portrait officiel et tester un bloc de marbre extrait de la carrière de Sost, dans la vallée de Barousse, dans les Pyrénées, nouvellement découverte. Ce marbre blanc français quoique beau et sonore se révéla en fait impropre à l'usage statuaire et Pigalle, auquel on avait enjoint de multiplier les ornements, peina beaucoup dans l'exécution de ce buste qui marque le début de ses travaux pour Mme de Pompadour.

En 1750 en effet la commande d'une statue à Pigalle fut un des moyens utilisés par la favorite pour affirmer la nouvelle position qu'elle entendait se voir reconnaître auprès du Roi : l'effigie, en pied, de la Marquise, avec les attributs de l'*Amitié* fut ostensiblement placée à Bellevue, dans le bosquet auparavant consacré à l'Amour. La signification de cette figure fut complétée trois ans plus tard par la commande d'un groupe de l'*Amitié embrassant l'Amour* qui ne fut achevé et mis en place à Bellevue qu'en 1758 et qui connut un durable succès[22]. Mais, avant la marquise de Pompadour elle-même, le comte d'Argenson avait eu recours à Pigalle pour faire sa Cour au Roi tout en manifestant la position privilégiée qu'il occupait auprès de lui : sur la façade du château de Neuilly les statues du *Silence* et de la *Fidélité* faisaient connaître que le ministre était dans le «secret du Roi» tandis que dans le parc une statue

2

4

5

3

pédestre du roi «habillé en guerrier» dominait un parterre qui, d'après sa forme avait peut-être été conçu comme une horloge florale[23]. Pour ne pas être en reste la favorite commanda à son tour pour Bellevue une statue du *Roi se reposant sur ses lauriers après avoir donné la paix à la France*. L'affaire se fit en grand mystère car l'on voulait faire la surprise au Roi et officiellement le bloc de marbre avait été délivré avec la fraternelle complicité du marquis de Marigny pour une autre destination[24]. Placée au milieu de l'allée principale du château, cette simple image royale paraissait recevoir l'hommage de l'*Amitié* placée juste en face. Ces deux statues

1/ Jean-Baptiste Pigalle. *La marquise de Pompadour*. Marbre. 1751. New York, Metropolitan Museum.

2/ *Arc de triomphe* érigé place Saint-Sulpice en 1754 (d'après Patte).

3/ D'après Pigalle. *Louis XV*. Statuette, terre-cuite. Versailles, Musée national du Château.

4-5/ Jean-Eric Rehn. *Statues de Louis XV et de Mme de Pompadour*. Dessins. Collection comte Piper.

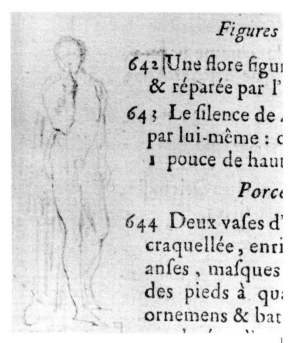

1

de Louis XV, celle de Neuilly (transportée au château des Ormes après la disgrâce de d'Argenson) comme celle de Bellevue, ont disparu ; on ne peut savoir si la seconde était une pure et simple réplique de la première et si toutes deux célébraient en Louis XV le vainqueur de la Guerre de Succession d'Autriche et le signataire de la paix d'Aix-la-Chapelle (1748). La *tête de Louis XV* que Pigalle exposa au Salon de 1751 était sans doute en rapport avec cette double commande[25].

Les deux statues, en tout cas, durent plaire. Le modèle de celle de Bellevue fut utilisé lors des cérémonies d'inauguration de la place Saint-Sulpice le 2 octobre 1754[26] et, si l'on

accepte de reconnaître dans une terre cuite du musée de Versailles une réduction de l'un ou l'autre de ces deux marbres disparus, on peut en conclure que le type iconographique créé par Pigalle connut une certaine diffusion[27].

A partir de 1750 Pigalle est assurément reconnu comme un sculpteur capable de donner une forme satisfaisante à un programme de caractère politique. A quelques mois d'intervalle il va se voir confier deux commandes qui par leur importance dépassaient tout ce qu'il avait entrepris jusque-là : au début de 1753 il est chargé du *Mausolée du Maréchal de Saxe* et en 1755 on lui octroie le *Monument à Louis XV*, destiné à décorer la Place Royale de Reims[28]. Il serait inexact d'opposer la première de ces entreprises, née de la volonté du Roi, et la seconde qui a les apparences d'une initiative municipale. En décidant d'élever un monument à la gloire de Maurice de Saxe le Roi récompensait, certes *«post mortem»*, un des grands serviteurs de la Monarchie, mais donnait aussi satisfaction à l'opinion publique qui souhaitait qu'un tel hommage fût rendu au vainqueur de Fontenoy[29]. Par ailleurs la transformation du quartier du «Grand Credo» à Reims, dont la nouvelle «Place royale» n'était qu'un élément était une opération d'urbanisme dont la ville avait sans doute eu l'initiative mais que le pouvoir royal contrôlait et subventionnait de façon directe ou indirecte.

Dans les deux cas le choix de Pigalle fut imposé, sinon par le Roi lui-même, du moins par son entourage. Pour le *Mausolée du Maréchal de Saxe*, le peintre Lépicié, secrétaire perpétuel de l'Académie royale, consulté par

2

le marquis de Marigny, avait suggéré le nom de Guillaume II Coustou. A Reims la municipalité avait pris l'initiative de s'adresser à Lambert-Sigisbert Adam, tandis que le très influent comte de Caylus poussait la candidature de Louis-Claude Vassé. Mais Marigny ne tint aucun compte de l'avis de l'Académie et voulut sans doute manifester que le choix d'un sculpteur pour un monument à la gloire du Roi relevait de sa seule compétence.

Le détail de la réalisation de ces deux monuments est relativement bien connu même si certaines étapes essentielles du processus de création nous échappent presque totalement[30]. Ainsi pour le *Mausolée du Maréchal de Saxe,* Pigalle avait présenté au marquis de Marigny le 13 février 1753 deux projets, sans doute dessinés. Celui qui fut retenu était certainement conforme aux conceptions personnelles du sculpteur, si l'on tient pour véridique l'anecdote relative à un *Mausolée de Turenne* que Pigalle aurait imaginé au cours d'une visite à Saint-Denis et qui préfigurerait assez exactement le monument aujourd'hui à Strasbourg[31]. Mais ces deux esquisses ne se différenciaient pas seulement par de simples variantes sur un même schéma iconographique dont l'abbé Gougenot plus encore que Pigalle aurait été l'auteur[32]. Dans le projet écarté, moins novateur, le Maréchal aurait été représenté expirant dans les bras de la France, entre la Force et la Victoire.
Pour le monument de Reims nous ne pouvons savoir dans quelle mesure le modèle de la statue pédestre du Roi, qui avait été «agréé par sa Majesté» et auquel fait référence le traité passé entre Pigalle et la ville de Reims (18 décembre 1758), différait beaucoup de

3

celui que Pigalle avait conçu dès 1756, après la signature d'un accord avec la ville qui prévoyait que le monument occuperait une niche, au centre de la façade de l'Hôtel des Fermes et se composerait d'une statue pédestre et de deux bas-reliefs. Il faut sans doute exclure l'hypothèse que dans ce premier projet le Roi ait été représenté en costume de sacre, comme Adam l'avait proposé et comme l'auraient probablement sou-

1/ Jean-Baptiste Pigalle. *Le Silence.* D'après le croquis de Gabriel de Saint-Aubin en marge du catalogue de la vente Peters (1779).

2/ Maurice Quentin de La Tour. *Le maréchal de Saxe.* Pastel. Louvre (Cabinet des Dessins).

3/ *Monument érigé par la ville de Reims.* 1765. Estampe par Pierre-Etienne Moitte d'après Charles-Nicolas Cochin.

haité les Rémois; le même Adam dans une lettre assez venimeuse avertit en effet le lieutenant des habitants que Pigalle ne leur fera une statue «qu'à la Romaine, n'étant pas assez expert pour le faire en habit de sacre». Le projet de 1758 ne pouvait cependant pas être une simple reprise de celui de 1756 car une figure conçue pour une niche, fut-elle monumentale, doit être sensiblement modifiée pour être érigée en position isolée, au centre d'une place[33].

Le Mausolée du Maréchal de Saxe et *le Monument de Louis XV* à Reims occupèrent l'essentiel de la maturité de Pigalle. Le second fut achevé en dix ans, tandis que le premier ne fut mis en place qu'en 1776, soit vingt ans après que les modèles aient été présentés au public, en marge du Salon de 1756. Les soins requis par ces «grandes machines» dont la traduction dans leur matériau définitif (marbre pour Strasbourg, bronze pour Reims) soulevait nombre de problèmes matériels, n'auraient pas dû laisser à Pigalle de temps pour accepter d'autres commandes. Et l'on constate effectivement qu'il mit quatre ans (1745-1748) pour achever le groupe de *l'Amitié embrassant l'Amour* pour Mme de Pompadour et qu'il renonça à exécuter en marbre une *Education de l'Amour*, commande royale pourtant, dont il avait présenté le modèle au Salon de 1751[34]. En 1758 il accepta de faire un relief de la *Chasse aux lapins* (disparu), pour le Salon du château de Saint-Hubert; il s'agit d'un décor en plâtre

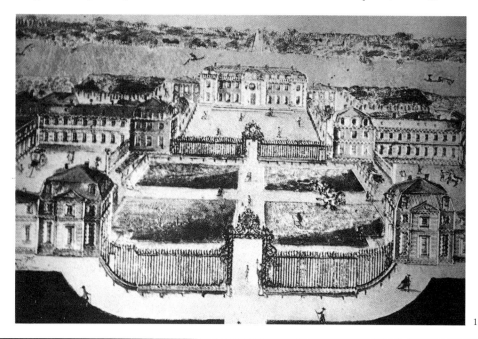

1

sans doute assez rapidement exécuté[35]. Et si en 1760 il fait des ouvertures à la ville d'Orléans pour un projet du *Monument à Jeanne d'Arc* dont son ami Desfriches a pris l'initiative, c'est qu'il achève alors les modèles des statues du monument de Reims et qu'il a à sa disposition les ateliers de fonderie du Roule et aussi (non sans quelques difficultés d'ailleurs) les ouvriers fondeurs dont il a besoin. Malgré cet argument non négligeable la municipalité d'Orléans ne donna pas suite à cette proposition[36].

Mais à partir de 1762 Pigalle fut contraint d'ajouter à ses deux grands ouvrages alors en cours d'exécution, la responsabilité d'un troisième monument puisque Edme Bouchardon, peu avant sa mort (en juillet 1763), avait demandé qu'on lui confiât le soin d'achever la statue équestre du Roi destinée à la Place Louis XV (actuelle Place de la Concorde). Pigalle relevait à peine d'une grave maladie[37] mais la demande de Bouchardon, son aîné de seize ans et qui n'avait jamais noué avec lui de liens d'amitié, était flatteuse. Les avis des contemporains divergeaient déjà sur l'importance des interventions de Pigalle : simple mise en état de modèles achevés selon Caylus[38] ; selon Cochin au contraire il fallut « corriger de partout » ces modèles et Bachaumont précise que deux des figures du soubassement furent entièrement refaites[39]. La somme considérable (635.419 livres 12 sous) payée à Pigalle à l'achèvement de l'œuvre (1772) plaide en faveur d'une intervention extensive de cet artiste, même si elle englobe tous les frais de fonte d'un groupe équestre, de quatre statues et de deux bas-reliefs.

2

La disparition de cet ensemble, vingt ans après son achèvement, rend difficile tout jugement et en particulier toute comparaison entre l'œuvre telle qu'elle sortit des mains de Pigalle et la très abondante série de dessins laissés par Bourchardon et qui demeurent les témoins les plus significatifs de ce monument majeur de la sculpture française. On sait que Pigalle avait exécuté aussi une réduction du groupe équestre où les connaisseurs surent discerner les corrections apportées au modèle de Bourchardon ; quelques plâtres et quelques bronzes de cette réduction furent mis en circulation[40]. Mais le plâtre qu'une

---

1/ *Vue du château de Saint-Hubert.* Etain estampé par Compigné. Sceaux, Musée de l'Ile-de-France.

2/ Jean-Baptiste Pigalle. *Desfriches.* Terre-cuite. Orléans, Musée des Beaux-Arts.

inscription désignait comme «le premier coulé dans le moule» n'est pas actuellement localisé[41] et il n'est donc pas possible de le comparer avec une autre réduction exécutée par Vassé, dont un exemplaire en bronze est conservé au Louvre et qui pourrait être plus conforme au modèle originel de Bouchardon.

En 1770 les marbres du *Mausolée du Maréchal de Saxe* était achevés et furent à nouveau montrés au public. Pigalle ne faisait rien pour hâter leur départ pour Strasbourg car il espérait obtenir que le monument soit, en fait, érigé à Paris. Aussi accepta-t-il cette même année deux commandes bien différentes et envisagea-t-il même l'année suivante de superviser, sinon d'exécuter, lui-même, un grand projet pour la promenade du Peyrou à Montpellier[42].

La commande du *Mausolée du comte d'Harcourt* s'inscrit de toute évidence dans le sillage du succès du *Mausolée du Maréchal de Saxe*. Pigalle en effet n'avait jamais recherché les commandes de monuments funéraires pour des personnes privées. En dehors du *Monument du cœur du Prince René de Rohan-Soubise* exécuté dans sa jeunesse, on ne compte dans son œuvre que deux autres tombeaux : celui de Pâris de Montmartel, qui devait être érigé dans l'église du Brunoy, et celui de la famille Gougenot, dans l'église des Cordeliers de Paris. Le premier a totalement disparu et il n'est pas certain qu'il ait été entièrement mené à bien ; Pâris de Montmartel, parrain de la marquise de Pompadour, avait été un des premiers protecteurs de l'artiste ; il est assez normal qu'à sa mort en 1766 sa veuve se soit adressée à Pigalle qui eut par la suite bien des difficultés, semble-t-il, à

1

2

se faire payer par le marquis de Brunoy, fils du défunt, puisque à sa mort il lui était dû encore une somme considérable[43]. Une tradition vraisemblable affirme au contraire qu'il éleva à ses frais le petit monument de la famille Gougenot : monument assez modeste d'ailleurs, dont seul subsiste un médaillon de marbre à l'effigie de Georges Gougenot et de sa femme, mais dont le principal élément était le buste de bronze de l'abbé Louis Gougenot, intime ami et conseiller de Pigalle, mort en 1767[44].

Ce ne sont pas ces réalisations assez modestes qui ont pu pousser la comtesse d'Harcourt (dont le deuil, sincère sans doute, mais très ostentatoire, suscitait chez les contemporains l'étonnement ou l'ironie) à s'adresser à Pigalle ; c'est bien plutôt le désir de célébrer la médiocre gloire militaire et surtout l'amour conjugal du défunt comte d'Harcourt par un hommage égal à celui qui avait été rendu à Maurice de Saxe, considéré comme le plus grand homme de guerre de son temps. On peut être surpris que Pigalle chargé d'honneur et de réputation, ait accepté d'entrer dans ce jeu. Le prix élevé du marché (60.000 livres) ne fut peut-être pas étranger à sa décision. Il est possible que l'étrange programme iconographique que lui imposait par contrat la comtesse, bien loin de lui déplaire ait au contraire échauffé son imagination[45] : le thème de la « réunion conjugale » était relativement nouveau dans la typologie du tombeau français même si dans les divers projets pour le *Mausolée du Dauphin* plusieurs évoquaient la même idée ; le mort vivant, la veuve au visage défait par la douleur, le squelette allégorique, le génie affligé étaient au-

3

tant de motifs qui reprenaient, mais avec des variantes, ceux du Mausolée de Saxe. Diderot dénonça ce « galimatias » et il faut reconnaître que la logique de la composition n'apparaît pas clairement[46]. Mais elle se voulait la transcription d'un rêve de la comtesse et il faut peut-être tenir compte de la part d'irrationalité inhérente aux songes. La comtesse, en tous cas, fut satisfaite et fit à Pigalle, en sus du prix convenu, une pension viagère de 1.000 livres[47].

1/ *Monument équestre de Louis XV.* Modèle de Bouchardon, gravure d'après un dessin de Prévost.

2/ *Statue équestre de Louis XV.* Réduction par Antoine Vassé, d'après Bouchardon. Bronze. Louvre.

3/ Jean-Baptiste Pigalle. *Mausolée du comte d'Harcourt* (détail de la statue de la comtesse). Marbre. Paris. Notre-Dame.

Si le *Mausolée d'Harcourt* ne fit pas l'unanimité des contemporains, la seconde commande qui échut à Pigalle en 1770, celle de la statue de Voltaire, fut à l'origine d'une violente polémique. L'on connaît assez bien les circonstances dans lesquelles un groupe de gens de lettres, qui, pour la plupart, fréquentaient le Salon de Mme Necker, lança une souscription pour ériger une statue à Voltaire ; certains détails restent néanmoins obscurs[48] ; comment en particulier l'idée de représenter le patriarche de Ferney dans la totale nudité d'un philosophe antique fut-elle agréée à l'origine par ceux-là même qui la réprouvèrent par la suite ? Pigalle n'avait jamais caché son intention et dès le dîner du 17 avril 1770, au cours duquel l'entreprise prit forme, il avait présenté une esquisse correspondant déjà à quelques détails près à son projet définitif. Par bien des aspects l'affaire a les apparences d'une comédie : conspirations de salon, pudibonderie effarouchée de Mme Necker, enfantillage de Voltaire qui s'amuse à jouer de la sarbacane pendant la séance de pose, épigrammes, clabaudages et intrigues durant la soucription et, pour finir, tollé devant la statue achevée dont on ne sait trop que faire. Faut-il admirer l'obstination de Pigalle dont on ignore s'il était pleinement conscient d'ouvrir une voie nouvelle à la sta-

1

2

tuaire iconique? Il faut surtout méditer la phrase de Voltaire qui, malgré sa peur aiguë du ridicule, n'hésita pas à écrire: «Il faut laisser M. Pigalle maître absolu de sa statue. C'est un crime en fait de Beaux-Arts de mettre des entraves au génie. »

On considère souvent que la statue de *Voltaire* marque l'aboutissement et le terme de l'œuvre de Pigalle. Et en effet, après l'achèvement de ce marbre, on ne peut guère faire état que de la commande d'une *Abondance* par l'abbé Terray en 1774[49]; on suit assez bien l'histoire des statues que ce contrôleur des Finances fit exécuter pour symboliser les attributions de son ministère: *Mercure* confié à Augustin Pajou y personnifiait le commerce, *Apollon*, par Louis-Philipe Mouchy, les Beaux-Arts, *Pyrrha* par Jean-Pierre-Antoine Tassaërt la Population, tandis que le rôle de Pigalle était de représenter, sous l'aspect de *Cérès* (ou de l'Abondance), l'Agriculture. Pigalle était le doyen des quatre sculpteurs et l'on peut s'étonner qu'il ait accepté de mettre sa réputation en balance avec celle d'artistes beaucoup moins célèbres. Mais était-il homme à refuser l'offre d'un Contrôleur général? Les quatre statues, qu'auraient dû compléter des bas-reliefs incrustés dans leurs piédestaux, figurèrent dans la vente «après décès» de l'abbé Terray, le 20 janvier 1779[50]. Les deux premières sont au Louvre et l'on peut espérer que les deux statues féminines (celle de Pigalle est dans une collection privée, celle de Tassaert n'est pas pour l'instant localisée) viendront les rejoindre, pour reconstituer l'un des plus curieux ensembles d'allégories politiques qui ait été exécuté au XVIIIᵉ siècle.

3

1/ Louis-Philippe Mouchy. *Apollon*. Marbre, 1779. Louvre.

2/ Augustin Pajou. *Mercure*. Marbre, 1780. Louvre.

3/ Jean-Baptiste Pigalle. *Cérès* ou *l'Abondance*. Marbre. 1774. Coll. privée.

Jean-Baptiste Pigalle

Il faut en revanche rayer de la liste des œuvres tardives de Pigalle un *Enfant endormi* en marbre. Le médaillon qui orne le socle de cette sculpture au-dessous du médiocre, et paraît à la fois l'authentifier et la dater entre 1777 et 1784 (puisque Pigalle y est qualifié de vice-chancelier de l'Académie) était destiné à une autre œuvre car le socle et la sculpture ne vont pas ensemble[51].

Il serait cependant injuste de négliger deux aspects relativement méconnus de l'art de Pigalle dans sa maturité : le sculpteur religieux et le portraitiste.

On considère en effet rarement Pigalle comme un sculpteur religieux ; pourtant son œuvre dans ce domaine a du être relativement considérable et ne saurait se limiter aux deux statues de la *Vierge à l'enfant* qui sont parvenues jusqu'à nous. La *Vierge des Invalides* était comme on l'a vu une des premières commandes du comte d'Argenson. La *Vierge de Saint-Sulpice* (1754-1755) fut tardivement intégrée dans un vaste programme iconographique auquel l'architecte de Wailly fournit un cadre architectural d'un caractère indéniablement théâtral[52]. Pigalle réussit à faire confier les figures secondaires (*saint Joseph, saint Jean, sainte Anne* et *saint Joachim*), aujourd'hui disparues, à ses neveux Jean-Pierre Pigalle et Louis-Philippe Mouchy. Paroissien de Saint-Pierre de Montmartre il avait offert à cette église un plâtre (peut-être le modèle original) de la statue de la *Vierge de Saint-Sulpice* ainsi qu'un *Christ*, également en plâtre, généralement identifié comme le modèle du *Christ* de plomb destiné au comte d'Argenson et exposé au Salon de 1745. Ces deux plâtres ont disparu.

Une œuvre religieuse de Pigalle semble avoir été particulièrement admirée par les contemporains si l'on en juge par les convoitises qu'elle a suscitées : au Salon de 1753 l'artiste avait exposé un petit *Christ* de marbre ; il se présentait sous l'aspect d'un relief de marbre blanc, sur un fond de marbre noir, et fut somptueusement monté dans une bordure de bronze doré due à Philippe Caffieri[53]. Mais pour des raisons inconnues il ne fut jamais livré au Dauphin, fils de Louis XV, auquel il était destiné. Après la mort de ce prince (1765) les Marguilliers de Saint-Germain-l'Auxerrois cherchèrent en vain à le faire attribuer à leur église (requête du 19 juin 1769) mais finalement ce fut Marigny qui l'obtint en don du Roi en 1772. Lors de sa présentation au Salon cette œuvre avait

1/ Jean-Baptiste Pigalle. *Vierge à l'enfant.* Pierre. Paris, église Saint-Sulpice.

2/ *Enfant nu endormi.* Marbre anonyme sur un socle destiné à une œuvre de Pigalle. Versailles, Musée national du Château.

2

été louée pour sa spiritualité : « L'air de la tête du Sauveur est noble et bien choisi... le calme de son visage annonce qu'il ne meurt que parce qu'il l'a voulu » écrivait l'abbé Laugier[54]. Le plâtre du Musée d'Abbeville seul témoin actuellement connu de cette œuvre précieuse ne dément point ce jugement.

Peut-être est-ce parce qu'il avait la réputation de traiter avec noblesse les sujets religieux que deux congrégations au moins s'adressèrent à Pigalle : à une date difficile à préciser (entre 1761 et 1768) les Augustins déchaussés (Petits Pères) lui demandèrent une statue de *saint Augustin* pour leur église (actuellement Notre-Dame-des-Victoires). Endommagée sous la Révolution elle fut néanmoins apportée au Musée des Monuments français ; Alexandre Lenoir s'en servit comme d'autres marbres mutilés pour payer en nature les sculpteurs qui travaillaient pour lui[55]. Sans doute vers la même époque, et en tous cas à une date où Pigalle était à la fois en pleine activité et au sommet de sa réputation, les Bénédictins Mauristes de Saint-Germain-des-Prés lui commandèrent une *Apothéose de saint Maur* à traiter en haut-relief pour un rétable[56]. On ne peut s'empêcher, à la lecture des rares documents qui concernent cette œuvre, de songer aux précédents du baroque romain (et en particulier au *Saint François porté par les Anges* de Francesco Baratta à San Pietro in Montorio) et à l'*Apothéose de saint Bruno* par Lesueur.

Le second aspect souvent sous estimé de l'œuvre de Pigalle est son talent de portraitiste : il est admis que Pigalle ne fut pas un « bustier » et ce jugement se justifie si l'on entend par là qu'il ne chercha jamais à fonder

6

sa réputation sur ses réussites dans l'art du portrait. Le seul buste officiel dont il fut chargé fut celui de la *Marquise de Pompadour*. Nous ne pouvons plus juger de ce qu'était le visage des statues du Roi, toutes disparues, mais l'on sait que lors de la présentation des modèles en grand du Monument du Maréchal de Saxe, Grimm espérait que « la figure du Maréchal serait (dans le marbre) plus ressemblante qu'elle ne l'est »[57].

3/ Francesco Baratta. *Saint François porté par les anges.* Rome, église San Pietro in Montorio.

4/ Pierre Le Gros. *La gloire de saint Louis de Gonzague.* Rome, église Saint-Ignace.

5/ Eustache Lesueur. *Apothéose de saint Bruno.* Huile sur toile. Louvre.

6/ Jean-Baptiste Pigalle. *Christ en Croix.* Plâtre, 1753. Abbeville, Musée Boucher de Perthes.

3

4

5

conception décorative et solennelle du buste dont Jean-Baptiste II Lemoyne était, dans ses marbres, le meilleur représentant. Peu de femmes dans cette galerie, mais beaucoup d'hommes âgés, plus remarquables par leurs talents que par leur rang social. Ce qui paraît totalement étranger à l'art de Pigalle c'est l'idéalisation. *Mme de Pompadour*, dans son buste, comme sous le déguisement de l'*Amitié* est représentée avec la même vérité que la joviale *Mme Clicquot-Blervache*. Cette constatation permet de rayer de la liste des œuvres authentiques du sculpteur, un certain nombre de bustes féminins, gracieusement impersonnels et ignorés des sources anciennes.

Il ne faut pas en conclure que Pigalle était indifférent à l'art du portrait: sa carrière est jalonnée de plus de vingt bustes qui sont pour la plupart des «portraits d'amitié», témoins des relations nouées en diverses occasions, aussi bien avec des personnalités importantes, voire même très célèbres, qu'avec des gens relativement obscurs[58]. Portraits en général sans apparat (celui du *Major Guérin*, garni de toutes ses décorations et dont le piédouche est armorié, fait exception) et, pour certains, en rupture nette avec la

Jean-Baptiste Pigalle

Pigalle est par ailleurs un des rares sculpteurs a avoir exécuté à deux reprises son autoportrait. Le premier, sous les traits du *Citoyen* au soubassement du *Monument de Louis XV* à Reims, date de sa maturité ; le second est tardif et se situe sans doute aux environs du voyage à Strasbourg et en Allemagne, en 1776. Il paraît correspondre à un approfondissement de l'investigation psychologique chez l'artiste, déjà sensible dans le visage de la statue de *Voltaire* et qui se manifeste de façon presque pathétique dans le buste de *Diderot* (1777).

Pigalle comme « son compère » Diderot est âgé de soixante-trois ans ; il est recteur de l'Académie, honneur rarement conféré à un sculpteur, et le portrait que fait de lui au pastel Mme Roslin, pour son morceau de réception, présente, à défaut de crédibilité psychologique, l'image d'une parfaite réussite professionnelle et sociale. Il n'a plus de commandes et ne les sollicite pas. Son nom n'est plus prononcé lorsque sont repris, à cette même date, les projets d'aménagements de la place du Peyrou à Montpellier pour lesquels il avait été consulté en 1771-1773. Il n'est chargé d'aucune des statues des « Français illustres » commandés à partir de 1776 par le comte d'Angiviller mais son neveu Mouchy sera parmi les gros bénéficiaires de cette entreprise. Paradoxalement, à l'approche de sa fin, il reprend son ciseau et, comme pour se prouver à lui-même, et peut-être aussi aux sculpteurs de la génération montante, qu'il n'a rien perdu de sa maîtrise, il donne à l'*Enfant à la Cage* exécuté trente-cinq ans auparavant un pendant, *la Fillette à la pomme et à l'oiseau* (1784), moins habile peut-être,

4

mais gracieuse jusque dans la gaucherie de son attitude. Et en 1785, alors qu'il est devenu Chancelier de l'Académie royale (ce que nul autre sculpteur ne fut jamais), il travaille jusqu'à sa mort, le 22 août, à une *Tireuse d'épine*, toute chargée de réminiscences antiques et qui a les formes graciles, le visage ovale et la coiffure en « côtes de melon » de la Petite Julie qu'il avait copiée, peut-être, lors de son lointain séjour romain.

1/ Jean-Baptiste Pigalle. *Madame Clicquot-Blervache*. Bronze. Coll. particulière.

2/ Jean-Baptiste Pigalle. *Bernard Sorbet*. Marbre. Coll. particulière.

3/ *Bernard Sorbet*. Estampe de Moitte, d'après le buste de Pigalle.

4/ Jean-Baptiste Pigalle. *Tireuse d'épine*. Marbre. 1785. Paris, Musée Jacquemart-André.

Dans son «Salon de 1767» Diderot, déplorant la médiocre qualité des sculptures présentées cette année-là, ajoute mélancoliquement : «Pigalle est riche et de grands monuments l'occupent.»[59] Le second point n'est pas contestable puisque, à cette date, le sculpteur travaille aux marbres du mausolée du Maréchal de Saxe et à l'achèvement du monument de la place Louis XV à Paris ; le premier est tout aussi assuré et paraît avoir été de notoriété publique. Il n'est, pour s'en convaincre que de se reporter aux deux principaux actes notariés qui nous renseignent sur sa fortune : dans son contrat de mariage (16 janvier 1771) Pigalle reconnaît un actif net de deux cent treize mille livres et il est probable que sur les trente mille livres avouées par son épouse, une bonne partie provenait, sous forme de «présent», de Pigalle lui-même en tant qu'oncle de la jeune fille. Son testament du 23 avril 1785 prévoit environ pour soixante mille livres de legs divers et l'estimation (sans doute plutôt faible) des œuvres d'art contenues dans sa belle maison de la rue Saint-Lazare (à l'emplacement du 12 de la rue de la Rochefoucauld) se monte à vingt-trois mille huit cent quatorze livres.

Ce que Pigalle désignait pudiquement, dans une lettre à d'Angiviller du 30 mars 1781, comme «les apparences d'une fortune honnête»[60] ne lui était pas venu d'héritages. Encore manque-t-on de renseignements sur ce qu'était la situation financière de sa famille ; le fait qu'il ait perdu son père de bonne heure et qu'il ait été, à Rome, passablement dépourvu de ressources, ne signifie pas nécessairement que sa famille ait été dans la misère. Mais il n'est pas douteux que, pour l'es-

sentiel, Pigalle doit l'état florissant de ses finances à ses gains, comme sculpteur, et à son labeur incessant et obstiné. Pigalle travaillait beaucoup, était en général exact à remplir ses engagements et se faisait payer cher. Il a certes bénéficié de quelques pensions royales (en 1746 il reçoit le sixième de la pension laissée vacante par la mort de Guillaume Coustou) ; mais il fut surtout un quémandeur obstiné, jamais découragé par les silences ou les refus de l'Administration des Bâtiments du Roi, tirant argument des avances faites lors de l'achat ou de la pratique du marbre et des salaires dus à ses aides pour obtenir de nouveaux acomptes, voire des suppléments.

De toute façon Pigalle était un sculpteur onéreux. En 1754 il avait établi pour le *Mausolée du Maréchal de Saxe* un devis de 85.200 livres bientôt augmenté à 96.500 livres. Marigny soumit le problème à Lépicié qui proposa une convention à 90.000 livres. A deux reprises d'aileurs le sculpteur fut attaqué par des confrères qui proposaient à moindre prix leurs services : d'abord par Lambert-Sigisbert Adam en 1756 lors de la commande du monument de Reims ; puis de façon beaucoup plus officielle par Louis-Claude Vassé, qui, poussé peut-être par le comte de Caylus, offrit de terminer le monument de la place Louis XV pour 300.000 livres alors que Pigalle avait estimé le travail 600.000 livres ; la commission d'experts alors désignée donna raison à Pigalle ; à l'achèvement du monument en 1772, Pigalle avait reçu 635.419 livres et 12 sous, somme dans laquelle n'étaient pas pris en compte les 150.000 livres d'outillages laissés à la fonderie du Roule ni le fait que

Pigalle n'avait payé que 60.000 livres le cuivre nécessaire à la fonte, d'une valeur réelle de 90.000 livres. Pour marquer sa satisfaction, la ville de Paris ajouta une pension viagère (6.000 livres), comme l'avait fait la ville de Reims et le fit plus tard la comtesse d'Harcourt (1.000 livres) qui avait déjà payé 60.000 livres l'exécution du tombeau de son époux.

Il n'est pas douteux que les prix demandés par Pigalle aient fait reculer d'éventuels clients : le devis du *Monument de Jeanne d'Arc* qui devait comporter il est vrai deux groupes en bronze (la *Ville d'Orléans rendant grâce à Dieu de sa délivrance que lui annonce le génie de la Victoire* et *la Pucelle, en Pallas, domptant le léopard d'Angleterre*) et deux reliefs (*Jeanne d'Arc bergère* et le *Sacre de Charles VII*) était de 200.000 livres ; quoique soutenue par Desfriches, riche amateur orléanais et ami de Pigalle, la proposition ne trouva aucun écho du côté de la municipalité d'Orléans qui estima qu'à ce prix-là mieux valait se contenter du vieux monument érigé dès le xvᵉ siècle et tant bien que mal restauré en 1751.

Aussi peut-on estimer qu'en acceptant de faire pour 10.000 livres la statue de *Voltaire*, Pigalle apportait une contribution non négligeable à la réussite d'une entreprise qui, par souscription, avait réuni 18.822 livres ; le supplément servit à payer la fourniture du marbre et les frais de voyage à Ferney.

Pigalle sut-il arrondir les gains de son travail par d'autres pratiques financières ? Il semble que son établissement rue Saint-Lazare (qui permettait de payer moins cher les denrées de la vie courante) ait été lié à quelques achats spéculatifs de terrain dans un quartier alors en pleine expansion (Barrière Blanche, Porcherons ou Petite-Pologne). Ce qui est certain c'est que, vers 1760, Pigalle était en état de prêter de l'argent (en particulier au prince de Condé) et de placer des sommes importantes (rente sur les Etats de Bretagne). Il est possible que tout cela se soit passé « en famille » et que certains de ses neveux, en particulier Mouchy, aient réalisé des opérations analogues. S'il en était bien ainsi, le mariage tardif de Pigalle serait à considérer sous un nouveau jour. L'affection qui liait au sculpteur, déjà âgé, Marie-Marguerite-Victoire Pigalle, la toute jeune fille de son frère Pierre, décédé, paraît indéniable ; cela ressort, de façon assez touchante, des réponses de la demoiselle au bailli de l'abbaye de Montmartre, chargé de l'enquête préalable à la célébration de ce mariage consanguin. Mais cette union endogamique avait aussi l'incontestable avantage de conserver au sein de la famille la fortune mobilière et immobilière d'un riche parent dont la fortune et la célébrité aurait pu tenter quelque autre personne soucieuse d'une établissement sûr et honorable[61].

Pigalle n'est pas le seul sculpteur à avoir fait fortune. Même si en général la sculpture nourrit mal son homme et que l'impécuniosité est plutôt la règle dans ce domaine, on peut mentionner, à la génération suivante, le cas de Jean-Antoine Houdon qui finit ses jours dans une situation financière plus que satisfaisante. Mais Houdon, s'il ne bénéficia guère, comme Pigalle, de grandes et profitables commandes officielles, sut toucher, en quelque sorte, les dividendes de son génie par l'organisation assez rationnelle d'une véritable « production d'atelier ». Les bustes des célébrités, qu'elles soient durables comme Voltaire ou Rousseau, ou éphémères comme la « Petite Lise », se vendaient bien. Houdon n'hésitait pas à en multiplier les exemplaires en plâtre, en terre cuite estampée ou en marbre et se fit, à l'occasion, le fondeur de ses propres œuvres ; il aurait même vendu à un prix élevé des plâtres avec droit de reproduction. On connaît par ailleurs le nom de quelques-uns de ses aides[62].

Le nombre considérable des œuvres qui portent la signature de Pigalle pourrait faire penser à l'existence d'une organisation semblable. Mais en fait les pièces douteuses sont majoritaires, en particulier parmi les très nombreuses figures d'enfants que mentionnent les catalogues de vente à partir du milieu du XIXᵉ siècle. Peut-être pourrait-on y trouver des œuvres du XVIIIᵉ siècle munies de signatures apocryphes[63]. Mais l'essentiel est composé de reproductions tardives d'œuvres authentiques de Pigalle (comme dans le cas des bronzes de *l'Enfant à la cage* et de *l'Enfant à l'oiseau*) ou de copies d'œuvres

dues à d'autres artistes, abusivement dotées de la signature plus glorieuse de Pigalle. Tel semble être le cas du très populaire groupe des *Amours se disputant un Cœur*, dont l'invention paraît pouvoir être restituée aux frères Broche[64]. Non moins répandus, la *Fillette au nid* et le *Garçon à l'oiseau*, représentés debout, pourraient dériver d'un modèle de Bridan[65].

Quant à la « *Rieuse de Pigalle* » largement diffusée sous forme de plâtre pour l'apprentissage du dessin, elle n'est probablement qu'un pastiche très tardif ; sa coiffure compliquée pourrait s'inspirer de celle de la « Fillette aux nattes » de Saly[66].

On ne peut donc tirer argument de l'abondance des pièces dérivées de Pigalle ou portant sa signature pour affirmer l'existence d'une véritable production d'atelier. Quelques documents suggèrent cependant la présence d'aides au côté de l'artiste : compagnon anonyme mentionné à propos du *Mercure*[67], Rochas, Dropsi (associé aux travaux de Saint-Sulpice), Chevreau, élève de l'Académie que Pigalle hébergeait chez lui, vers 1770[68]. Il comptait surtout dans sa parentèle

1-2/ Charles-Antoine Bridan. *Fillette au nid vide* et *Garçon à l'oiseau*. Terre-cuite. Chartres, Musée des Beaux-Arts.

3/ Gabriel Allegrain. *Narcisse*. Marbre. Réplique du morceau de réception de l'artiste. Autrefois au château de Sagan (Pologne).

1   2

3

immédiate trois sculpteurs: Allegrain, Mouchy et Jean-Pierre Pigalle. L'étrange carrière de Gabriel Allegrain, beau-frère de Pigalle, académicien depuis 1748 mais demeuré fort obscur jusqu'à l'éclatant succès de sa *Baigneuse*, présentée au moment du Salon de 1767, s'expliquerait-elle par le fait que de 1755 (date de la commande de la *Baigneuse*) jusque vers 1765, il fut le collaborateur de Pigalle, alors aux prises à la fois avec le *Mausolée du Maréchal de Saxe* et le *Monument de Louis XV* pour Reims?[69]. Louis-Philippe Mouchy, élève de Pigalle et époux de sa nièce, Elisabeth-Rosalie Pigalle, a fait une carrière plus éclatante mais toujours plus ou moins grâce à la protection de son oncle par alliance dont il copia certaines œuvres, fidèlement (*l'Amour et l'Amitié*) ou plus librement (bustes de *Voltaire* et du *Maréchal de Saxe*)[70]. Quant à Jean-Pierre Pigalle, écrasé par un nom trop illustre, il eut un parcours assez décevant[71]. Mais, comme Mouchy, il fut associé aux travaux de son oncle à Saint-Sulpice.

Il était donc plus facile à Pigalle qu'à d'autres sculpteurs d'assurer à son œuvre une certaine diffusion: les terres cuites de la *Vénus* du Louvre, du *Louis XV* et de la réduction de *l'Amour et l'Amitié* du musée de Versailles, du buste de *l'Amour* du musée de Cluny ont été, semble-t-il, estampées dans des moules. D'où leur aspect un peu sec et mécanique qui a déçu les commentateurs, mais on doit néanmoins les considérer comme des pièces du XVIIIe siècle; Pigalle aurait-il, à sa mesure, voulu compenser le fait d'être exclu, jusqu'à une date semble-t-il tardive, de la manufacture de Sèvres où ré-

gnait Falconet qui ne l'aimait point?

Cette production d'atelier s'est-elle étendue à d'autres matériaux? Les versions en pierre du *Mercure* et de la *Vénus* qui ont été signalées ne sont certainement pas toutes anciennes[72]. On est dans un domaine plus sûr avec le plomb: Pigalle avait placé dans le jardin de sa maison de la rue de La Rochefoucauld des épreuves en plomb de *l'Amitié*, de *l'Amour et l'Amitié*, et du *Voltaire* (ainsi qu'une *Vénus de Médicis* et un *Apollon* de Guillaume II Coustou). Mais il y avait à Anet, un *Mercure* de plomb (aujourd'hui au Louvre) qui était peut-être un achat fait par le duc d'Orléans à l'artiste.

Ce n'est pas ici le lieu d'un long développement sur l'art de Pigalle et la place qu'il occupe dans l'histoire de la sculpture européenne. Seule une analyse très poussée de ses sources d'inspiration et de ses rapports avec les artistes de son temps permettrait de juger de son originalité.

Si l'on voulait esquisser la «fortune critique» du sculpteur, il faudrait cependant souligner que le *Mercure* est la seule de ses œuvres qui ait pratiquement échappé de son temps à tout jugement défavorable. Ses autres œuvres, qu'il s'agisse du *Mausolée du Maréchal de Saxe*, du *Monument de Louis XV* à Reims ou du *Voltaire nu*, ont été analysées sans bienveillance et parfois sévèrement blâmées. Les éloges publiés au moment de sa mort ou peu après (Suard, Manuel, Chaudon) adoptent cette attitude critique. Seul Mopinot se révèle un admirateur inconditionnel. Même son «compère» Diderot, qui pourtant le considérait comme l'un des trois grands sculpteurs de son temps (les deux

4/ Louis-Philippe Mouchy. *Le maréchal de Saxe*. Marbre. Versailles, Musée national du Château.

5/ Louis-Philippe Mouchy. *Voltaire*. Marbre. Versailles, Musée national du Château.

6/ Jean-Pierre Pigalle. *Guerrier*. Esquisse, terre-cuite. Bayonne, Musée Bonnat.

4   5   6   27

autres étant Bouchardon et Falconet), a eu parfois des jugements féroces (notamment, on l'a vu, à propos du *Mausolée du comte d'Harcourt*)[73]. Mariette ne l'a loué qu'avec réticence, lui reprochant en particulier un manque de fini dans les détails[74] ; il se faisait sans doute ainsi l'écho de la théorie largement répandue dans le monde artistique du XVIIIe siècle selon laquelle dans les figures de grandes dimensions, même si les détails devaient être largement traités, le « faire » devait en être « précieux »[75]. Dans son élogieuse description du *Monument du Maréchal de Saxe*, Dandré-Bardon semble implicitement répondre sur ce point aux critiques de Mariette[76].

Pour l'ensemble de ses contemporains, l'un des défauts de Pigalle était aussi un certain manque d'imagination. Ce reproche peut surprendre si l'on considère l'originalité, voire même la complexité des programmes réalisés par Pigalle. Mais la réponse était toute trouvée : Pigalle ne faisait que mettre en œuvre les idées de ses conseillers, au premier rang desquels il fallait placer l'abbé Gougenot et Cochin. Au témoignage (peu fiable mais représentatif des opinions reçues) d'Alexandre Lenoir, Cochin aurait même dessiné les projets que Pigalle, inhabile à manier le crayon, aurait été incapable de coucher sur le papier[77]. Il est de fait que l'on ne connaît pas de dessins de Pigalle, et il est très possible que lorsqu'il avait à présenter des projets (comme pour le *Mausolée du Maréchal de Saxe* soumis au choix du Roi, ou pour le *Mausolée du comte d'Harcourt*, que le chapitre de Notre-Dame avait souhaité examiner) Pigalle se soit adressé à un dessinateur

« professionnel » qui a pu être Cochin. D'autres sculpteurs ont agi de même[78]. Par ailleurs, Pigalle estimait ses capacités d'imagination lentes à « s'échauffer » peut-être, mais réelles[79] ; elles lui ont sans doute permis de donner un caractère particulier à la plupart de ses figures ; on ne peut certes parler à leur propos d'inventions brillantes et habiles, comme on en trouve chez la plupart des sculpteurs français du XVIIIe siècle ; mais on y remarque toujours une volonté de repenser le sujet, sans recours aux poncifs et en cherchant surtout à être vrai.

Souligner la vérité de l'art de Pigalle est un lieu commun. Ce ne fut pas toujours un compliment. De son temps déjà, le traitement trop véridique des corps nus de *Voltaire* ou du *Comte d'Harcourt* a soulevé plus de raillerie ou d'horreur que d'admiration[80]. Les critiques se firent plus vives encore lorsque l'idéal néo-classique[81] devint, pour une longue période, l'esthétique dominante car dans le domaine de la sculpture la « réaction romantique » fut tardive et somme toute limitée. Au milieu du XIXe siècle encore, Tarbé, le premier historien de Pigalle, n'hésitait pas à écrire : « Biographe de Pigalle accusé, je ne veux pas plaider sa cause : j'expose simplement les pièces du procès. » En faveur de son « client », il ne croyait pouvoir faire état que de deux arguments[82] : d'une part Pigalle avait contribué à la formation des sculpteurs de la génération qui lui a succédé, celle précisément du retour à l'antique ; d'autre part, il avait été un sculpteur « national » qui avait échappé à l'influence du Bernin.

Le premier point n'est pas douteux : Pigalle a compté parmi ses élèves des sculpteurs

1/ Jean-Baptiste Pigalle. *Bénitier*. Marbre. Paris, église Saint-Sulpice.

comme Julien, Boizot, Foucou, Moitte et Godecharle et même, fugitivement Clodion, qui, à des degrés divers, sont d'honorables représentants du premier néo-classicisme. Emeric-David plaçait d'ailleurs Pigalle à l'origine des « progrès de la sculpture française »[83]. Le second argument aurait sans doute beaucoup surpris Pigalle lui-même qui n'a jamais renié la dette contractée à l'égard de la grande sculpture baroque italienne, encore fort admirée par les artistes de sa génération[84]. La réaction de Victor Hugo devant le *Mausolée du Maréchal de Saxe* est en ce sens plus lucide que celle de Tarbé ou de Bourgeois de Mercey dont il invoque le témoignage[85] : il se refuse à voir dans cette œuvre autre chose qu'un ensemble baroque.

Sous le Second Empire, l'œuvre de Pigalle bénéficia du retour en grâce de tout l'art du XVIIIe siècle ; le goût du public avait d'ailleurs précédé celui des historiens de l'art ; alors qu'en 1866 Bachelet reprochait encore à Pigalle « de mieux aimer le vrai que le beau et de manquer d'idéal »[86], l'édition en bronze de *l'Enfant à la cage* et de *l'Enfant à la pomme*, mise dans le commerce entre 1845 et 1853 rencontrait un large succès qu'attestent, à leur manière, les pastiches et contrefaçons multipliés à partir de cette date.

Peut-être parce que la sculpture du XVIIIe siècle français est mieux connue, la place que l'on doit assigner à Pigalle est paradoxalement devenue plus difficile à déterminer. Le début de sa carrière se situe à l'apogée du style « rocaille » dont le *Mercure* pourrait être une des plus parfaites expressions et les bénitiers de Saint-Sulpice le paradigme. Il participe aussi au retour au classicisme qui marqua les années 1750-1760 et dont le *Monument équestre de Louis XV* qu'il acheva après la mort de Bouchardon était un jalon essentiel, malheureusement disparu et où sa contribution fut diversement appréciée. Sa dernière œuvre, la *Tireuse d'épine*, si éloignée de l'esprit rocaille, se veut certainement plus proche de la nature que de l'antique ; mais sa grâce un peu gauche n'est pas si éloignée de certaines créations, bien plus tardives, des premières décennies du XIXe siècle[87]. Les commentaires sur cette œuvre, que le temps n'a guère épargnée il est vrai, se limitent le plus souvent à l'amusante anecdote selon laquelle Pigalle aurait attentivement surveillé le poids et le régime alimentaire de son jeune modèle afin de lui conserver des formes parfaites[88]. Au-delà du néoclassicisme, Pigalle annoncerait-il un certain courant naturaliste, sinon vériste, qui se manifeste furtivement dans la sculpture tout au long du XIXe siècle, avant de trouver en Dalou un de ses meilleurs représentants ? Ce point de vue n'est pas insoutenable.

Pigalle n'a laissé aucun texte théorique qui puisse nous éclairer ; s'il était sans doute relativement instruit (ses lettres sont correctement écrites), il ne pouvait rivaliser d'érudition avec un Falconet, infatigable autodidacte, et auteur plutôt prolixe. Mais peut-être d'autres ont-ils tenu pour lui la plume. La « Réponse d'un élève de l'Académie royale », anonyme qui réfute les critiques faites en 1756 à propos des modèles du *Mausolée du Maréchal de Saxe* est une œuvre de circonstance qui reflète très certainement le point de vue du sculpteur[89]. La chose est moins sûre pour le traité que Mopinot, contemporain et biographe de Pigalle, écrivit sur la sculpture[90], mais un certain nombre de conceptions sur le caractère public de la sculpture, et sur son éminente dignité (voire même sur la nécessité de créer la charge de Premier Sculpteur du Roi), paraissent trop proches de ce que pouvait être le point de vue de Pigalle au faîte des honneurs, pour ne pas avoir été influencées par les propos du vieil artiste.

Et peut-être est-ce cette dignité qu'il faut retenir comme le trait le plus remarquable de l'œuvre de Jean-Baptiste Pigalle, conformément à ce que Diderot (Salon de 1767) reconnaissait comme une spécificité de la Sculpture : « cet art qui est si grave, si sévère, qui demande tant de caractère et de noblesse ». A cela, Pigalle n'a point dérogé.

notes

1. Mopinot (M. de), *Eloge historique de Pigal, célèbre sculpteur*, Londres (Paris ?), 1786, 13 p. ; Dezallier d'Argenville (Antoine-Nicolas), *Vies des fameux sculpteurs*, Paris, 1786, t. 2, pp. 391-407 ; Suard (J.-B.),« Eloge de Pigalle » dans *Mélanges de littérature*, Paris (Dentu), t. 3, 2e éd., 1806, pp. 285-309 (repris du *Journal de Paris*, 24 septembre 1786) ; Tarbé (Prosper), *La vie et les œuvres de Jean-Baptiste Pigalle*, Paris (Ve, J. Renouard), 1859.

2. Contrat du 16 janvier 1771, passé devant Me Bro, notaire ; cf. Rocheblave (Samuel), *Jean-Baptist Pigalle*, Paris (Librairie Centrale des Beaux-Arts, Levy éd.), s.d. (1919), in-4°, p. 367 et suiv.

3. Beaulieu (Michèle), *Robert Le Lorrain*, Neuilly-sur-Seine (Arthéna), 1982, in-4°, pp. 14-15 et 17. Le Lorrain habitait depuis 1715 rue Meslay. En 1716, Pierre-Denis Martin, peintre ordinaire du Roi, est propriétaire dans cette même rue Meslay d'une maison tenant d'un côté à R. Le Lorrain n'était autre que Gabriel Allegrain, père du futur beau-frère de Pigalle. Le changement d'adresse de Jean Pigalle n'implique peut-être pas un déménagement car les rues Meslay et Notre-Dame de Nazareth sont parallèles et certains immeubles ont encore une ouverture sur chaque rue.

4. Selon Mopinot (*ouv. cité*, p. 4), qui ne connut il est vrai le sculpteur qu'à la fin de sa carrière, l'échec de Pigalle aux concours s'expliquerait par le fait que « la contrainte qui accompagne les essais, la privation de liberté dans le choix du sujet à traiter, du temps et du lieu destiné à le travailler, arrêtèrent ses talents ». En dehors des morceaux de concours pour l'Académie de Saint-Luc à Rome, dont il sera question plus loin, Pigalle n'exécuta qu'un seul relief narratif: *La Chasse aux Lapins*, pour le décor du salon du château de Saint-Hubert. Ses autres reliefs sont des allégories (Saint-Louis du Louvre, Enfants Trouvés) ou des portraits *(Georges Gougenot et sa femme, Clicquot-Blervache)*. Ce n'est sans doute pas un hasard si le premier projet pour la place de Reims, qui comportait deux reliefs, a finalement été écarté.

1

Périgord. Louis Réau (*J.-B. Pigalle*, Paris, Tisné, 1950, pp. 14 et 19) s'interroge sur une possible confusion, tout en inscrivant le marbre de la collection Wildenstein dans son catalogue (n° 35 et pl. 15).

8. Dezallier d'Argenville (*ouv. cité*, p. 392) donne une précision curieuse sur la technique de Pigalle pour copier l'antique : pour plus de commodité, il aurait transformé les rondes-bosses en hauts-reliefs en les modelant sur un fond.

9. Rocheblave, (*ouv. cité*, p. 79) (d'après Bibl. nat., Fr. 16.986, p. 303).

10. Cat. exposition *« Soufflot et son temps »*, Lyon (musée des Beaux-Arts), Paris (Hôtel Sully), 1980, p. 95.

11. Furcy-Raynaud (M.), *Inventaire des sculptures exécutées au XVIIIe siècle pour la Direction des Bâtiments du Roi*, Paris, 1927 (*Archives de l'Art français*, t. 14), pp. 258-259. Le dessin des vases avait été donné par Gabriel.

12. S. Rocheblave (« La femme dans l'œuvre de Jean-Baptiste Pigalle », dans *Revue de l'Art ancien et moderne*, juin 1905, t. 17, p. 418, n° 1) conteste l'identification faite par Eugène Plantet (*La collection de statues du Marquis de Marigny...*, Paris, Quantin, 1885, p. 176), mais il reproduit (p. 417) le vase d'Adam et non celui de Pigalle ; ce dernier est en effet orné de deux visages de bacchantes (cf. Furcy-Raynaud, ouv. cit, p. 258), tandis que sur celui d'Adam il y a une bacchante et un satyre ; dans le détail le vase d'Adam est plus inventif, avec notamment l'amusant détail des têtes de boucs qui broutent les pampres du feston ; mais les visages très conventionnels n'ont pas la qualité de ceux de Pigalle. Sur ces vases, cf. aussi John Goldsmith-Philips, « The Choisy-Menars Vases », dans *The Metropolitan Museum of Art Bulletin*, 1967, pp. 243-250.

13. Rocheblave (*ouv. cité*, pp. 224-225).

14. Œuvre ignorée des biographes, mais mentionnée par L.V. Thiéry (*Guide des amateurs et des étrangers voyageurs à Paris*, Paris, 1787, t. 2, p. 321) ; on pourrait aussi avancer l'hypothèse que l'abbé de Montjoie avait été orienté vers Pigalle par l'abbé Le Lorrain, fils du sculpteur et docteur en Sorbonne, qui était né en 1721 et devait être sensiblement le condisciple du défunt.

15. Dreyfus (Carle), « Les statues du Dôme des Invalides », dans *Bull. soc. hist. art fr.*, n.s., t. 2, 1908, p. 260. Peut-être n'a-t-on pas assez souligné combien la *Vierge* de Pigalle était proche de celle de Van Cleve, telle du moins qu'elle apparaît dans la gravure.

16. Rocheblave, p. 176 ; Réau, pp. 72-73 (cat. n° 22). Il est probable que le *Christ* en plâtre, signalé par Thiéry à Saint-Pierre de Montmartre, était le modèle du Salon de 1745 offert par Pigalle à sa nouvelle paroisse après son installation à la

5. Réau (Louis), *Les Lemoyne*, Paris (Les Beaux-Arts), 1927, in-4°, p. 45.

6. Arch. nat. O¹ 1088 ; cf. Montaiglon (A. de) et Guiffrey (J.), *Correspondance des Directeurs de l'Académie de France...*, t. 10, p. 282, n° 4058 ; Rocheblave (*ouv. cité*, p. 13.

7. Boyer (Ferdinand), « Les artistes lauréats ou membres de l'Académie romaine de Saint-Luc dans la première moitié du XVIIIe siècle » dans *Bull. soc. hist. art fr.*, 1959, p. 139 ; Michel (Olivier), « Adrien Manglard, peintre et collectionneur » - *Mélanges de l'Ecole française de Rome*, t. 93, 1981 (2), p. 853. Selon Mopinot (*ouv. cité*, p. 4), le « duc de Saint-Aignan aurait commandé à Pigalle une copie de la *Joueuse d'osselets* antique, alors connue sous le nom de la « Petite Julie ». Mais dans le catalogue de la vente du duc (17 juin 1776), une copie de cette antique est mentionnée comme une œuvre de « Flotz », c'est-à-dire Michel-Ange Slodtz ; cf. Souchal (François), « Variation sur un thème de la sculpture antique : la joueuse d'osselets » dans *Gazette des Beaux-Arts*, 1961, p. 269 ; Le Moël (Michel) et Rosenberg (Pierre), « La collection du duc de Saint-Aignan... », dans *Revue de l'Art*, 1969, n° 6, pp. 53 et 67. Il est curieux cependant que Mopinot ait affirmé l'attribution de cette œuvre à Pigalle moins de dix ans seulement après la vente de Saint-Aignan alors que l'œuvre était chez le comte de

1/ Jean-Baptiste Pigalle. *Clicquot-Blervache*. Bronze. Coll. particulière.

«Barrière Blanche» d'abord rue Royale (actuellement rue Pigalle) puis rue de La Rochefoucauld.

17. Furcy-Raynaud (*ouv. cité*, n° 12), pp. 254-258. Le marbre pour le *Mercure* avait été déjà délivré dès le 29 septembre 1743. Plusieurs mémoires semblent montrer l'inquiétude de Pigalle sur la confirmation puis sur le paiement de ces commandes.

18. «Le bas-relief placé au-dessus de la Porte extérieurement est sculpté, par Pigalle... trois enfants portant les instruments de la Passion, le sceptre et la main de justice; un manteau royal sert de fond.» (*Nouvelles archives de l'Art français*, 1890). Le relief de Pigalle était de forme rectangulaire et non pas logé dans un fronton comme le croyait Rocheblave (p. 324). Ce relief fut sévèrement jugé dans une *Lettre sur la Peinture...* publiée à l'occasion du Salon de 1748 et attribuée à l'abbé Gougenot (Bibl. nat. Estampes, coll. Deloynes).

19. Ce relief représentait selon Dezallier d'Argenville (p. 407) «des groupes d'enfants couchés et exposés». Tarbé (p. 230) affirme que ce bas-relief a été transféré avec l'institution des Enfants-Trouvés dans l'actuel hôpital Saint-Vincent de Paul et qu'il orne la porte qui fut celle de la chapelle et ajoute «les intempéries des saisons, les accidents de mille natures, la poussière qui s'accumule dans les parties concaves ont à peu près détruit tout ce que ce groupe avait de mérite; rien n'y manque, si ce n'est la pureté des lignes et la finesse des touches qu'on y admirait». S'agit-il d'une confusion avec l'image Jésus-Enfant qui, depuis 1655, orne le portail de l'ancienne chapelle de l'Oratoire, au 74, de l'avenue Denfert-Rochereau? Je remercie M. Sainte-Fare-Garnot, conservateur du musée de l'Assistance publique qui m'a confirmé qu'il ne subsistait aucun vestige, ni même, semble-t-il, aucune figuration, du relief de Pigalle.

20. Lettre de Tournehem à Lépicié du 9 janvier 1749 (Arch. nat. O¹ 1947); Rocheblave, (*ouv. cité*, p. 38); Furcy-Raynaud, (*ouv. cité*, p. 257).

21. Raggio (Olga) «Two Great Portraits by Lemoine and Pigalle», dans *The Metropolitan Museum of Art Bulletin*, février 1967, pp. 222-228. L'essai de ce marbre français s'inscrit dans une politique, sinon constante, du moins plusieurs fois tentée, des Bâtiments du Roi pour remplacer le coûteux marbre statuaire italien par un marbre français. *Les Nouvelles littéraires* du 21 janvier 1751 font état de la satisfaction de l'opinion publique, mais l'essai de Pigalle, expérience réussie à grand peine, n'eut pas de suite.

22. On connaît un certain nombre de réductions de *l'Amour et l'Amitié*, dont l'attribution à «l'atelier» de Pigalle sera discutée plus bas. Mais il faut surtout noter que le groupe, racheté par Pigalle à la vente de Mme de Pompadour, fut acquis ensuite par le prince de Condé qui le plaça dans les jardins du Palais-Bourbon, peut-être comme une justification de la position qu'occupait à ses côtés la princesse de Monaco. Celle-ci en fit, en effet, placer un moulage, retouché par Dejoux, dans le «temple» de son domaine de Betz (moulage aujourd'hui à la Walters Art Gallery de Baltimore). Pigalle en conservait dans son jardin une fonte en plomb; peut-être est-ce cette fonte qui suggéra à Mlle Colombe de se faire représenter dans la même attitude (cf. Réau, p. 42 et cat. n° 4). Mlle Colombe était en effet une proche voisine de Pigalle (cat. expo. *La Nouvelle Athènes*, Paris, musée Renan Scheffer, juin-octobre 1984, pp. 13-14).

23. Dezallier d'Argenville dans son *Voyage pittoresque des environs de Paris* (Paris, 1755, p. 5), localise bien à Neuilly les deux statues de la *Fidélité* et du *Silence* (ce qui confirme, comme l'a montré Réau, la notice d'Hébert dans son *Dictionnaire pittoresque*, t. 2, p. 88); dans sa biographie de Pigalle, Dezallier indique que le *Silence* fut sculpté pour Mme de Pompadour. Peut-être n'y a-t-il pas de contradiction entre ces deux indications car le bronze que possédait Mgr Thémines, évêque de Blois, pouvait fort bien provenir de Ménars. Le parterre au milieu duquel s'élevait la statue du roi était «d'un goût très neuf» et comportait huit compartiments «remplis des plus belles fleurs de chaque saison». Il existe un croquis du *Silence* par Saint-Aubin en marge du catalogue de la vente du peintre Antoine Peters (1779) qui possédait un plâtre de cette œuvre.

24. Une lettre du marquis de Marigny du 29 novembre 1750 prouve l'antériorité de la statue de Neuilly: «Le Sr Pigalle sculpteur est chargé de faire pour ma sœur la statue du Roi en marbre blanc, et vous vous ressouvenez que ce fut à l'occasion de celle qui est à Neuilly que celle-ci fut commandée.» (Arch. nat. O¹ 1907 (21), 149; Rocheblave, p. 320; Furcy-Raynaud, p. 265). Un mémoire de 1752, assez confus d'ailleurs, explique comment un bloc de marbre fut délivré pour une statue de *Mars* pour M. d'Argenson et comment un bloc destiné aux Invalides fut remis à Pigalle pour Mme de Pompadour: «C'était un secret pour lors...»

25. Chabouillet (A.), «Louis XV et Madame de Pompadour, statues de Pigalle», dans *Les lettres et les Arts*, juin 1886, pp. 257-284, suppose à tort que la statue de Louis XV faite pour Bellevue avait été transportée à Ménars et en a publié une restitution fantaisiste due au graveur Delort.

26. *Id.* p. 262; d'après les *Mémoires du duc de Luynes* (t. 13, p. 367) et la gravure de Patte.

27. Marquet de Vasselot (Jean-Jacques), «Quelques œuvres inédites de Pigalle» dans *Gazette des Beaux-Arts*, 1896, 3ᵉ per., t. 16, pp. 400-402. Rocheblave (*ouv. cité*, p. 276) a rejeté cette identification; L. Réau (*ouv. cité*, p. 51) paraît l'accepter mais ne reproduit pas l'œuvre. L'anecdote des «médailles» dont le Roi aurait demandé à Pigalle la signification (cf.

Dezallier, *ouv. cité*, p. 395) pourrait déjà être un argument en faveur de l'hypothèse de Marquet de Vasselot: de grosses médailles sortent de la corne d'abondance parmi les fruits. Mais le dessin de Rehn dans la collection du comte Piper paraît lever tous les doutes.

28. La date exacte de la commande est difficile à fixer. Le premier traité de Pigalle avec la Ville de Reims est du 3 février 1756 mais implique que la décision a déjà été prise. Le projet place Royale dû à Jean-Gabriel Legendre, ingénieur du Roi, pour la Champagne, avait été présenté à Trudaine dès 1754 mais son acceptation ne date que de 1756.

29. Arminius-Maurice, comte de Saxe et maréchal, général des camps et armées du Roi, était mort à Chambord, le 30 novembre 1750. Une note de M. de Vandières du 10 juillet 1751, paraît attribuer au comte d'Argenson l'initiative du projet proposé au Roi et accepté par lui; il était alors question d'un concours (Furcy-Raynaud, *ouv. cité*, p. 274). Le 27 mai 1752, le Roi ordonne à Vandières de faire faire plusieurs projets mais l'on ignore quels furent les sculpteurs écartés par le Directeur des Bâtiments avant que les deux dessins de Pigalle ne retiennent son attention.

30. Pour le *Mausolée du Maréchal de Saxe*, on peut avoir recours aux deux monographies de S. Rocheblave (*Le tombeau du Maréchal de Saxe*, Paris, Alcon, 1901) et de J. Fritz («Das Grabmal das Marschalls Moritz von Sachsen» dans *Elsass-lottringisches Jahrbuch*, 1922, pp. 123-142) en attendant celle de M. Victor Beyer. Les documents publiés par Jules Guiffrey (*Nouvelles Archives de l'Art français*, 3e série, t. 7, 1891, pp. 161 à 234) ont été complétés par Furcy-Raynaud (*ouv. cité*, pp. 272-336). Pour le monument de Reims: Sarazin (Charles), *La Place Royale de Reims*, Reims (I. Monce), 1911.

31. Dezallier d'Argenville (*Vie*, p. 396) rapporte que Pigalle, visitant Saint-Denis, avait trouvé le tombeau de Turenne «mesquin et peu digne d'un aussi grand homme... Si je traitais un pareil sujet, aurait-il ajouté, je représenterais le héros près de descendre dans le tombeau ouvert sous ses pieds, la France le retiendrait pour l'en empêcher, la Valeur serait désignée sous la figure d'Hercule.» Le musée de l'Armée conserve la maquette en cire teintée d'un monument en l'honneur de Turenne (inv. Dd 3) qui porte une inscription manuscrite «Pigalle» que Gaston Brière («Une maquette attribuée à Pigalle au musée de l'Armée» dans *Bull. soc. hist. Art français*, 1910, pp. 196-198) a rapproché de cette anecdote. Louis Réau (*ouv. cité*, p. 84) a au contrairee rejeté l'attribution, sans doute à juste titre; l'œuvre paraît assez voisine dans sa composition du *Tombeau de Languet de Gergy* de Michel-Ange Slodtz, mais les rapports notés par Pierre Arizzoli-Clementel (*Revue de la Société des Amis du musée de l'Armée*, 1972, supplément, p. 39, n° 6) avec certains dessins de B.C. de Rastrelli, s'ils n'autorisent pas une attribution à cet artiste, nous éloignent décidément de Pigalle.

32. C'est Pahin de La Blancherie, contesté d'ailleurs par Cochin, qui a mis en avant l'idée que «l'invention» du tombeau était de l'abbé Gougenot.

33. Il est possible que Pigalle ait poussé à cette modification du programme. Diderot qui, d'ailleurs, approuvait ce changement de parti, affirmait qu'il avait été fait contre l'avis de Soufflot et en faisait honneur à Legendre «ingénieur de la Province» et beau-frère de Sophie Volland (Grimm, *Correspondance littéraire*, 1er juillet 1760).

34. Rocheblave (*ouv. cité*, pp. 48-49, 197-198, 329); Réau, (*ouv. cité*, pp. 42-43); Gordon (Catherine K.), «Madame de Pompadour, Pigalle and the Iconography of Friendlyship», *Art Bulletin*, 1968, pp. 249-252. Le modèle en plâtre du Salon de 1751 figurait à la mort de l'artiste dans son atelier (Rocheblave, p. 365). L'architecte Legendre en possédait une épreuve. Le rapport entre cette commande inachevée et le groupe de deux figures *Mercure et l'Amour* exécuté à Sèvres en biscuit, paraît purement iconographique.

35. Arch. nat. O¹ 1744; Rocheblave (*ouv. cité*, p. 237); Réau (*ouv. cité*, p. 166), cat. n° 46. Cf. aussi Poisson (Georges) «Saint-Hubert» dans *Hommage aux Gabriel*, Paris, 1982, pp. 385-386, selon lequel Pigalle aurait aussi exécuté l'une des têtes de cerf et l'une des têtes de sanglier. Pigalle était associé à Slodtz, Falconet et Coustou dans ce décor.

36. Documents publiés par Jacques Soyer, *Projet par Pigalle d'un monument à élever à Orléans en 1761*, Orléans (Paul Pigelet et fils), 1901.

37. Selon l'usage, l'Académie royale désigna le 29 mai 1762 Guillaume II Coustou et Chardin pour visiter le malade. Tous deux étaient des amis de Pigalle. Cf. Montaiglon (A. de) *Procès-verbaux de l'Académie royale...*, t. VII, p. 193.

38. L'opinion du comte de Caylus manquait probablement d'objectivité car il avait peut-être poussé en sous-main Louis-Claude Vassé à proposer d'achever le monument pour la moitié du prix demandé par Pigalle.

39. Bachaumont (L. Petit de), *Mémoires secrets*, 29 sept. 1762, éd. de Londres, t. 1, p. 762 (1er août). Grimm (*Correspondance littéraire*, t. 10, p. 188) les juge de «vilaines créatures, plates et maussades qui apprendront... que leur créateur... a manqué de génie et de goût». Mopinot (*ouv. cité*, p. 8) se donne comme un témoin oculaire des efforts de Pigalle pour ces figures de Vertu et affirme l'avoir vu «craindre dans le travail de ne pas assez bien faire pour égaler son précécesseur et craindre encore de le surpasser».

40. Un plâtre figure dans *L'inventaire après décès* de Pigalle (Rocheblave, *ouv. cité*, p. 365) dans son Salon. Un autre était passé en 1770 dans la vente Legendre (où figurait aussi un exemplaire de l'*Education de l'Amour*).

41. L'inscription de ce plâtre signalé dans la collection Loucheur (Réau, *ouv. cité*, p. 60) précisait «Réparé par Pigalle lui-même pour son intime ami» et pourrait donc avoir appartenu soit à Desfriches (mais pourquoi celui-ci ne l'aurait-il pas légué au musée d'Orléans?), soit bien plutôt à l'abbé Gougenot, mort en 1767.

42. Guiffrey (J.-J.), «Mémoire et lettre de Pigalle sur la décoration de la place du Peyrou à Montpellier», *Nouvelles Archives de l'Art français*, 1882, pp. 259-260; Rocheblave, (*ouv. cité*, p. 340); Réau, (*ouv. cité*, p. 68); le catalogue de l'exposition «*Projets et dessins pour la Place Royale du Perou à Montpellier*» (Montpellier, Inventaire général des Monuments. Région Languedoc-Roussillon), 1980, ne mentionne pas le nom de Pigalle. Les *Mémoires secrets* (17 décembre 1769) font état d'un projet de décor pour la «Porte Dauphine» érigée à Châlons-sur-Marne et qui aurait dû être confié à Pigalle. La mort de Legendre mit-elle fin à cette opération voulue par l'intendant Rouillé? Le même Rouillé fit payer à un sculpteur Pigalle, neuf cents livres pour des travaux à l'Hôtel de la Surintendance à Châlons en 1770 (cat. autographes, librairie Safroy, 1985, n° 358); s'agit-il de Jean-Baptiste? ou de Jean-Pierre Pigalle «le neveu»?

43. D'après Bachaumont qui décrit le tombeau (une urne avec d'un côté Mme de Montmartel sous les traits de la Piété et de l'autre un génie en pleurs), le modèle était achevé en 1768 (Réau, *ouv. cité*, p. 85); dans l'inventaire après décès figure une créance sur le marquis de Brunoy d'un montant de 20 279 livres qui fut payée par l'archevêque de Bourges car le débiteur était interdit.

44. Le buste en bronze est connu par une peinture de Roslin, exposée au Salon de 1769. Cf. cat. expo. «*French Portraits in Painting and Sculpture*» (1465-1800), Londres, Heim Gallery, juin-août 1969, n° 36. Il ne disparaît qu'à la dispersion du musée des Monuments français. Le médaillon de ses parents est au Louvre.

45. Arch. nat. T.204[4]: contrat entre la comtesse d'Harcourt et Pigalle, du 1er juillet 1771, édité par L. Cahen dans *Bull. soc. hist. de l'Art. Fr.*, 1911, pp. 205-208.

46. Diderot, *Pensées détachées sur la peinture*, éd. dans *Œuvres esthétiques*, texte établis par P. Vernière, Paris (Garnier Frères), 1966, p. 45. Il est certain que les contemporains hésitèrent sur le sens à donner à la composition: le mort faisait-il ses adieux? La comtesse lutte-t-elle contre la mort? Cherche-t-elle à rejoindre le défunt? Le génie ouvre-t-il ou ferme-t-il le tombeau? Cf Réau, pp. 102-103; Fred Licht («Tomb Sculpture» dans cat. expo. «*The Romantics to Rodin. French Nineteenth Century Sculpture*», Los Angeles County Museum of Art, 1980-1981, p. 97) a noté que la veuve paraît le personnage principal du tombeau, ce qui est une nouveauté.

47. Contrat du 12 juin 1779 (Rocheblave, *ouv. cité*, p. 252). Faut-il ajouter à la liste des monuments funéraires exécutés par Pigalle le *Monument de Pierre Saulnier*, aux Minimes de la Place Royale? Ce monument qui comportait deux figures en bas-reliefs (*La Justice* et *l'Abondance*) avec au-dessus une croix avec une guirlande de cyprès «le tout en plomb doré» est attribué à Pigalle dans *l'Etat des objets d'art* dressé sous la Révolution (éd. H. Stein, dans *Nouv. Arch. de l'Art français*, 189, p. 99). D'après la date d'affectation de la chapelle à Pierre Saulnier (1785) il s'agit de Jean-Pierre Pigalle (cf. Odile Krakovitch «Le Couvent des Minimes de la Place Royale», *Paris et Ile-de-France*, t. 30, 1979 (1981), p. 213.

48. Une partie des documents relatifs à cette commande, et en particulier ceux relatifs à la souscription, manifestement soustraits à une étude notariale, se sont retrouvés en 1979 chez un marchand d'autographes.

49. Sur cette commande, cf. Réau (Louis), «Une statue de Pigalle retrouvée», dans *Revue de l'Art ancien et moderne*, janvier 1921, pp. 52-56.

50. Thirion (Jacques), «*L'Apollon de Mouchy*», dans la Revue du Louvre et des Musées de Frane, 1976 (1), pp. 36-37.

51. Retrouvé par Pierre de Nolhac mais sans provenance certaine, ce montage réunit à un socle de marbre turquin, orné de superbes bronzes, une statuette d'enfant couché, de longueur convenable mais point assez large: la terrasse a été agrandie à l'arrière d'une large bande de marbre. Tout suggère que ce socle portait à l'origine une réduction en bronze de la statue de Louis XV; cadeau parfaitement bien choisi pour Mesdames auxquelles, selon le médaillon qui donne le nom de Pigalle, l'objet avait été offert par la Ville de Paris. Je remercie Mme Simone Hoog, conservateur au Musée national du château de Versailles, qui a bien voulu me confirmer dans mes doutes sur l'attribution à Pigalle de cet *Enfant endormi*.

52. D'où la datation tardive de l'œuvre. Diderot («Pensées détachées», éd. Le Winter, t. 12, p. 371) y reconnaissait les traits de la femme de Pigalle, encore enfant pourtant lorsque la statue fut exécutée. Mopinot (*ouv. cité*, p. 10) suggère que le modèle fut une femme israélite («Il a su faire connaître dans les traits des têtes... ceux de la Nation qui les a vu naître.») Cette *Vierge* a été très directement pastichée par Pierre Surugue dans sa *Vierge* du cloître de Saint-Denis, exécutée en 1781 (cf. A. Lombard-Jourdan, dans *Bulletin Monumental*, t. 142 1984, pp. 176-185).

53. Rocheblave (*ouv. cité*, pp. 41, 51, 325-327); Réau, p. 73. Tous les critiques du Salon (Caylus, Fréron, l'abbé Le Blanc) louèrent cette œuvre; Furcy-Raynaud (*ouv. cité*, pp. 269-272).

1/ *Amours se disputant un cœur.* Groupe, marbre, d'après un modèle des frères Broche? Coll. particulière. 1

54. Laugier (abbé), *Jugement d'un amateur* cité par Réau (*ouv. cité*, p. 73).

55. *Archives du Musée des Monuments français*, Paris (Imprimerie Nationale), t. 1, p. 286 et t. 2 p. 208, t. 3 pp. 309 et 364 («Inventaire des Richesses d'Art de la France»); Tarbé (*ouv. cité*, pp. 97 et 240) avait cru pouvoir identifier la statue avec le marbre actuellement dans l'église; Rocheblave (p. 80), et Réau (pp. 76-77), sans préciser le sort exact de la statue, avaient relevé son erreur.

56. Si l'on suit Dezallier (*ouv. cité*, p. 397) ce serait alors qu'il travaillait à cette œuvre, qu'il aurait visité Saint-Denis et improvisé verbalement un «Tombeau de Turenne» (cf. *supra* n° 31); il faudrait alors situer le *Saint Maur* avant 1753.

57. La «Lettre de M. Diderot à M. Pigalle sur le mausolée du maréchal de Saxe» publiée dans la *Correspondance littéraire* du 2 octobre 1756 ne fait aucune allusion à ce problème de la ressemblance. Bien plus, à propos du mausolée du Dauphin, Diderot écrira, plus tard, que la ressemblance doit être «légère» dans ce type d'œuvre; Grimm, dans la livraison du 15 septembre précédent, semble se faire, par ses éloges comme par ses critiques, le porte-parole des opinions les plus répandues.

58. Tous les biographes contemporains attestent ce caractère intime de la plupart des bustes de Pigalle. Cf. par exemple Chaudon (abbé), *Nouveau dictionnaire historique...*, 7e éd. (Leroy), Lyon (Bruyset), 1789, p. 286.

59. Salon de 1767, édition Seznec-Adhémar, 2e éd., t. 3, 1983, p. 320.

60. Rocheblave (*ouv. cité* pp. 143-144).

61. Traditionnellement, les biographes de Pigalle insistent sur le caractère irréprochable de sa vie privée. A propos de la «Félicité» du monument de Reims, Tarbé (*ouv. cité*, p. 127) fait cependant allusion à «une jeune laitière de la Barrière-Blanche» qui, selon la tradition rémoise, aurait été le modèle de cette figure; Rocheblave (*ouv. cité*, p. 235) parle quant à lui d'une certaine Mme Seïde, «amie du sculpteur».

62. Réau (Louis), *Houdon, sa vie, son œuvre*, Paris (de Nobele), 1964, t. 1, pp. 479-480.

63. C'est peut-être le cas pour un groupe étrange de *Trois enfants nus jouant avec un oiseau*, rejeté par Rocheblave (*ouv. cité*, p. 306) et dont un marbre apparaît, signé «Pigalle, 1751», à la vente Stern (juin 1899) tandis qu'une terre cuite, dans la vente Odiot (9 déc. 1850) était dite seulement «dans la manière de Pigalle»; elle doit donc être distincte de la terre cuite du même groupe, fort médiocre, passée en vente le 18 décembre 1964, qui, elle, était signée.

64. L'attribution à ces sculpteurs habiles de ce groupe dont existent d'innombrables copies signées Pigalle, Falconet ou Houdon est fondée sur sa première mention, à la vente du comte d'Espagnac (22 mai 1793) (cf. Réau, *Houdon, ouv. cité*, t. 2, p. 78).

65. Le musée des Beaux-Arts de Chartres en conserve une paire en terre-cuite due à cet artiste: Jusselin (Maurice), *Musée municipal de Chartres, Catalogue*, 1931, p. 38. L'attribution à Pigalle, confortée par le fait qu'en 1823 Thomire fit graver le nom de Pigalle et la date de 1768 sur un exemplaire fondu par lui, a été acceptée par Rocheblave (*ouv. cité*, pp. 304-305) et Réau (*ouv. cité*, p. 165, cat. 35, pl. 29).

66. A rapprocher certainement aussi de la *Fillette aux tourterelles* assise, du musée Jacquemart-André (*Catalogue itinéraire*, Paris, Bulloz, 1920, n° 35, comme «Ecole de Pigalle»).

67. Furcy-Raynaud (*ouv. cité*, p. 255) (Arch. Nat. O¹ 1922ᴮ).

68. Rocheblave (*ouv. cité*, pp. 107, 135, 142).

69. Sur Allegrain, cf. Lami (Stanislas), *Dictionnaire des Sculpteurs de l'Ecole française du XVIIIᵉ siècle*, Paris (Champion), 1911, pp. 22-25; Cat. expo, *Diderot et l'art, de Boucher à David*, Paris (Hôtel de la Monnaie), 1984-1985, pp. 436-439.

70. Lami (*ouv. cité*, t. 2, pp. 177-181); Remondon (J.), *L.P. Mouchy, Mémoire dactylographié pour l'Ecole du Louvre*, 1980, 2 vol., 343 p.

71. *Id.*, t. 2, pp. 255-256; Tarbé (*ouv. cité*, pp. 208-210).

72. Rocheblave (*ouv. cité*, pp. 172-173); Réau (*ouv. cité*, p. 152).

73. Il y aurait beaucoup à écrire sur les rapports Diderot-Pigalle qui, pour n'avoir pas eu le caractère passionnel des rapports Diderot-Falconet, n'en furent pas moins complexes et fluctuants. Certains propos de Diderot sont célèbres (cf. l'anecdote sur le séjour du sculpteur à Rome et le surnom de «mulet de la sculpture» qu'on lui aurait donné). Dans les «Pensées détachées» (éd. Lewinter, t. 12, p. 371), il a ce curieux jugement: «Le choix de la nature est indifférent à Pigalle», ce qui est en contradiction avec ce que l'on sait de l'attitude de Pigalle à l'égard de ses modèles.

74. Mariette, *Abecedario* (éd. Chennevières et Montaiglon, Paris, t. 4, 1857-1858, «Archives de l'art français», t. 8), p. 156. La Font de Saint-Yenne, en 1754, loue au contraire la douceur et la finesse du dessin du «Christ» du Dauphin.

75. Cf. l'opinion de Dandré-Bardon, très représentative de l'opinion commune des artistes sur la sculpture (*Essai sur la sculpture...*, Paris (Desaint, 1765, t. 2, p. 82) et qui donne comme exemples français les *Nations enchaînées* de la place des Victoires.

2

3

2/ Imitateur de Pigalle? *Fillette aux tourterelles*. Marbre. Paris, Musée Jacquemart-André.

3/ Imitateur de Pigalle? «*La rieuse*». Plâtre. Collection particulière.

76. Dandré-Bardon, *Description historique et pittoresque du Mausolée de Maurice, comte de Saxe...*, Paris, 1777, p. 19.

77. Lenoir (Alexandre), *Catalogue du Musée des Monuments français*, Paris, an X (1802), t. 8, p. 174. Sur cette polémique et les témoignages contradictoires de Bachaumont et de Cochin, cf. Réau (*ouv. cité*, pp. 89-91).

78. Il est bien certain par exemple que le projet dessiné pour le *Tombeau de M. Guillard*, signé «Houdon, nov. 1774», n'est pas de sa main (Réau, *Houdon, ouv. cité*, t. 2, pl. CLIII). D'ailleurs dans son «Discours sur la sculpture», Dezallier (*ouv. cité*, p. XV) n'affirmait-il pas comme une évidence que la plupart des statuaires étaient «peu familiarisés avec la pratique de dessiner sur papier»?

79. Expression employée par Pigalle lui-même dans une lettre à Vandières du 16 juillet 1754 (Tarbé, *ouv. cité*, p. 198).

80. Les réactions de Dezallier, Suard, Chaudon, Manuel, etc. sont unanimes dans leur réprobation, pour ne pas parler des innombrables épigrammes dont l'œuvre fut victime. Même Mopinot, admirateur inconditionnel de Pigalle, admet que «presque tout le monde l'a trouvée hideuse» (*ouv. cité*, p. 12).

81. L'une des analyses les plus remarquables à ce point de vue est celle de Joseph Joubert («Pigalle et l'art antique», dans *Pensées de J. Joubert*, éd. Paul de Raynal, Paris, Didier et Cie, 5e éd., 1869, pp. 252-256), signalée jadis par André Baunier (*Le Figaro*, 28 juin 1913) et passablement oubliée depuis. On y lit en particulier : «Parmi les œuvres de Pigalle, il n'en est pas une, peut-être, qui ne mérite d'être exposée dans une académie ; mais celles des grands artistes de l'antiquité semblaient destinées à être placées au milieu du monde.»

82. Tarbé (*ouv. cité*, pp. 192-194).

83. Emeric-David (Toussaint-Bernard), *Sur les progrès de la sculpture française depuis le commencement du règne de Louis XVI jusqu'à aujourd'hui*, Paris (J. Tastu), s.d., 12 p. (repris d'un article publié en 1824, dans la «Revue européenne»). Pour Emeric-David, le mérite de Pigalle a été d'en revenir à l'étude de la nature, ouvrant ainsi la voie au retour à l'antique (*id.*, p. 4).

84. Dandré-Bardon (*ouv. cité*, p. 21) (éloge de la chaire du Bernin), 22 (Tombeau d'Alexandre VIII), 23 (Sainte Thérèse), etc. ; Dezallier, dans sa préface loue la «poésie» du Bernin et de l'Algarde.

85. Mercey (Frédéric Bourgeois de), *Étude sur les Beaux-Arts*, Paris (A. Bertrand), 1855-1857, t. 3, p. 394.

86. Dezobry et Bachelet, *Dictionnaire d'Histoire et de Géographie*, Paris (Delagrave), 1866, t. 2, p. 2127.

87. Elle évoque en effet *l'Innocence* de Roman et aussi des œuvres d'artistes comme Dupaty ou Lemoyne-Saint Paul.

88. Anecdote rapportée par Mopinot (*ouv. cité*, p. 11).

89. *Réponse d'un élève de l'Académie aux observations sur le projet du Mausolée du Maréchal de Saxe*, Paris, 1756, p. 21 (Bibl. Nat. Ik[7] 9456).

90. Antoine-Rigobert Mopinot, *Mémoires sur la Sculpture*, Paris, s.d., p. 26.

1/ Pierre Loison. *Jean-Baptiste Pigalle*. Statue, pierre, 1882. Paris, façade de l'Hôtel de Ville.

L'Œuvre de Jean-Baptiste Pigalle au Louvre

Vingt et une sculptures ont été inscrites sous le nom de Pigalle dans les inventaires du Louvre. La critique moderne a restitué trois de ces œuvres à leurs véritables auteurs : les bustes de Voltaire *(L.P. 518) et du* Maréchal de Saxe *(M.R. 2656) sont dus à Louis-Philippe Mouchy à la fois beau-frère et neveu par alliance de Pigalle. La statuette de* Narcisse *(M.R. 2070), malheureusement disparue dans l'incendie du Palais de Saint-Cloud en 1871, était en fait le « morceau de réception » à l'Académie royale de Gabriel Allegrain, autre beau-frère de Pigalle.*

Par ailleurs trois sculptures doivent être considérées comme des copies « d'après Pigalle » : c'est certainement le cas pour les deux bronzes de l'Enfant à la Cage *(R.F.R. 63) et de* l'Enfant à la pomme et à l'oiseau *(R.F.R. 64) qui sont des fontes d'après les deux marbres conservés par ailleurs au Louvre. La grande version en pierre de tonnere de la* Vénus *(R.F. 2719) dite « aux colombes » paraît elle aussi à classer parmi les répliques tardives tandis que la petite version en terre cuite (O.A. 1980) peut par contre être acceptée comme une œuvre de l'atelier de Pigalle. Le buste de jeune femme (R.F.R. 53) souvent identifié comme un portrait de la Pompadour n'est par contre qu'un habile pastiche.*

Si l'on met à part le cas très difficile de la pseudo-esquisse pour le Mausolée du Comte d'Harcourt (R.F. 2980) il reste donc treize œuvres authentiques de Pigalle dans les collections du Louvre soit près de la moitié de ce qui subsiste de son œuvre.

Pourtant en 1855 lors de la publication du premier catalogue des « Sculptures Modernes » du Louvre par les soins de Barbet de Jouy Pigalle n'était représenté dans les collections que par la seule petite version en marbre du Mercure *(M.R. 1957) qui après avoir servi au décor du Palais de Saint-Cloud était venu rejoindre au Louvre peu après 1848 un certain nombre d'autres « morceaux de réception » à l'Académie. En 1872 la grande version en plomb qui se ruinait dans les jardins du Luxembourg fut transportée au Louvre, bien plus pour la sauver que pour l'exposer.*

En 1879 sur l'intervention de William-Henry Waddington alors ministre des Affaires étrangères le précieux groupe de l'Amour et l'Amitié *(R.F. 297), jusque-là exposé aux intempéries dans les jardins du Quai d'Orsay, fut mis à l'abri au Louvre, un peu trop tard sans doute mais l'initiative était heureuse et amorçait un mouvement presque régulier d'acquisitions:* l'Enfant à la Cage *(R.F. 654 don Costantini) en 1884, le buste en bronze de* Guérin *(R.F. 936), acheté en 1893 et qui révélait un Pigalle portraitiste jusque-là quelque peu méconnu; le don en 1905 par Albert de Vandeul du buste de* Diderot *(R.F. 1396) et le transfert de Versailles au Louvre du Médaillon de* Georges Gougenot *et de sa femme (L.P. 560) vinrent en préciser l'image. En 1910 un achat permit à la* Fillette à la pomme *(R.F. 1511) de venir rejoindre* l'Enfant à la Cage *dont elle était le pendant.*

En 1972 le dépôt par l'Institut de France du Voltaire nu *de Pigalle permit enfin de voir dans de bonnes conditions une des œuvres à la fois les plus méconnues et les plus importantes de l'artiste et deux ans plus tard, la générosité du baron Guy de Rothschild faisait entrer au Louvre l'une des plus célèbre statues du XVIIIe siècle:* l'Amitié sous les traits de Madame de Pompadour *(R.F. 3026).*

Mais à côté de ces œuvres, connues de longue date, il en est d'autres qui ne furent révélées que lors de leur entrée au Louvre, tel le buste du major Guérin, *déjà cité, celui du* Chirurgien Moreau, *resté presque inconnu jusqu'à son acquisition en 1945 et surtout l'admirable* Autoportrait *énigmatiquement réapparu après la Seconde Guerre mondiale.*

Mercure attachant ses talonnières

Statuette.
Marbre.
Morceau de réception à l'Académie royale de Peinture et de Sculpture, 1744.
H. 0,58; L. 0,355; Pr. 0,330.

C'est sur présentation d'une figure de *Mercure* que Jean-Baptiste Pigalle fut agréé à l'Académie royale de Peinture et de Sculpture, le 4 novembre 1741. Selon l'usage, l'exécution en marbre de ce modèle lui fut ordonnée pour sa «réception» comme académicien.

Dès le Salon de 1742, Pigalle profita de sa situation d'agréé à l'Académie pour faire connaître au public son *Mercure* en exposant un modèle en plâtre, avec en pendant le modèle, également en plâtre, d'une *Vénus.* Le 30 juillet 1744, il était reçu académicien avec comme «morceau de réception» la statuette de marbre, aujourd'hui au Louvre.

Il est généralement admis que le *Mercure* est le fruit des études de l'artiste durant son séjour romain et qu'il rapporta avec lui le modèle à son retour d'Italie; Rocheblave croyait même, mais à tort, qu'il s'agissait de l'œuvre avec laquelle il avait triomphé au concours de l'Académie Saint-Luc; selon une anecdote invérifiable, la misère aurait contraint le jeune sculpteur à mettre son œuvre en gage auprès de sa logeuse lors de son étape lyonnaise et seule l'intervention d'un amateur anonyme lui aurait permis de continuer sa route en emportant le précieux modèle.

Provenance: Collections de l'Académie du Louvre; resté sans doute au Louvre après la suppression de l'Académie puis affecté au décor du Palais de Saint-Cloud (19 Messidor an 10 - 8 juin 1802); rapporté au Louvre entre 1848 et 1850.
Inventaire: MR 1957.

1/ Jean-Baptiste Pigalle. *Mercure.* Terre-cuite. New York, Metropolitan Museum.

à une estampe pour l'invention d'une figure s'expliquerait peut-être mieux si l'œuvre présentée pour l'Agrément à l'Académie avait été exécutée par le jeune artiste durant les dix-huit mois qu'aurait duré le séjour lyonnais, alors qu'il était relativement isolé et certainement plus coupé du milieu artistique local qu'il ne l'avait été à Rome. D'ailleurs, parmi ses plus anciens biographes, seul Mopinot (qui n'est un témoin fiable que pour les dernières années de l'artiste) affirme que l'œuvre a été conçue à Rome; pour Suard et Dezallier d'Argenville, suivis par Manuel, le modèle du *Mercure* a été fait à Lyon et ramené à Paris où il aurait enthousiasmé Lemoyne.

Le *Mercure* répond-il à un programme iconographique précis? On peut en douter. L'exécution d'une figure académique masculine, dans une attitude propre à mettre en valeur à la fois les connaissances anatomiques et la virtuosité technique de son auteur, était pratiquement de règle pour les deux étapes (agrément et réception) qui menaient à l'Académie. Pigalle justifiait cependant l'attitude de son Mercure par une action toute différente de celle du *Mercure* de Jordaens et Bolswert qui tirait son épée pour tuer Argus assoupi. Avait-il voulu dans un premier temps montrer le jeune dieu rattachant ses talonnières pour remonter au ciel une fois le meurtre accompli? Dès le Salon de 1742, il donnait pourtant à sa figure une toute autre signification en l'associant à une *Vénus:* celle-ci «ordonnait» un message à Mercure qui se disposait à lui obéir.

La plupart des commentateurs considèrent qu'en intégrant son morceau d'agrément à une composition mythologique et «galante», Pigalle sacrifiait au goût de son temps. S. Rocheblave trouve même l'explication trop «littéraire»; Louis Réau y voit une conséquence fâcheuse de la «manie des pendants» si répandue au XVIIIᵉ siècle, et Clare Le Corbeiller considère que la Vénus a été virtuellement imposée à Pigalle par les beaux esprits du temps.

On chercherait cependant en vain dans le *Mercure* les traces précises d'une influence italienne, et Michael Levey a montré de façon convaincante que Pigalle s'était inspiré, volontairement ou inconsciemment, pour la pose de sa figure, du *Mercure et Argus*, gravure inversée de S.A. Bolswert, d'après Jordaens. Cette référence

1

L'association de *Mercure* et de *Vénus* serait pourtant le seul élément qui pourrait rattacher la première de ces œuvres à la période romaine de l'artiste. En précisant, en effet, dans le livret du Salon de 1747 où fut exposé le modèle en grand de la Vénus, que «le sujet est tiré de Psyché», Pigalle faisait sans doute moins allusion au poème de La Fontaine qu'au très illustre cycle de fresques de Raphaël à la Farnésine, inépuisable source d'inspiration pour tous les artistes des XVIIᵉ et

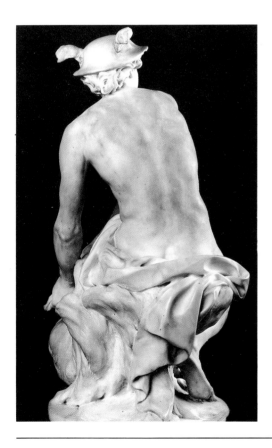

XVIIIᵉ siècles. Et même si aucune des sculptures de Pigalle ne démarque ostensiblement les célèbres figures peintes dans les écoinçons, elles semblent, par leurs proportions élégantes et la souplesse de leurs lignes, en avoir retenu la leçon.

1/ *Mercure et Argus.* Gravure par Schelte de Bolswert d'après Jordaens (détail).

2/ *La leçon de dessin.* Gravure par Jacques-Philippe Lebas, d'après Chardin.

2

Il n'en reste pas moins que la réputation du *Mercure* et de la *Vénus* furent rapidement considérables. Le contrôleur général Orry en avait dès 1742 commandé, pour le Roi, des versions en marbre, plus grandes que nature. Une terre cuite dite «originale» (celle de l'agrément de 1741?) figurait à la vente de M. de Julienne; on l'identifie en général avec celle qui fut offerte au Metropolitan Museum de New York par Benjamin Altman en 1914 (inv. 14.40.681), après être passée au XIXᵉ siècle par la collection du comte de Bryas. Ses dimensions (0,545 × 0,355 × 0,285) sont légèrement inférieures à celles du marbre du Louvre. Elle est souvent décrite comme plus savoureuse et plus vivante; il est, en fait très difficile d'en juger car elle est recouverte d'un épais badigeon, destiné peut-être à dissimuler d'anciens accidents, qui accentue l'aspect lisse et plein des volumes. Certaines différences avec le marbre du Louvre, en particulier dans la position du caducée, le groupement des masses nuageuses et surtout le visage aux traits moins réguliers et au pétase plus enfoncé sur le front, font penser qu'en passant de la terre cuite au marbre, Pigalle s'est imposé une certaine idéalisation qui ne lui était pas spontanée. Le petit marbre du Louvre est une étape vers la grande statue commandée pour le Roi et dont Louis XV fit un cadeau diplomatique pour Frédéric II. Jadis dans les jardins de Postdam, ce grand marbre, passé du Bodemuseum de Berlin-Est à la Nationalgallerie, montre en effet, par sa beauté sereine, une évidente volonté de rivaliser avec l'antique.

Toutefois, toute comparaison entre les diverses versions du *Mercure* est rendue difficile par l'abondance des exemplaires de qualité diverse que l'on peut voir dans les lieux les plus variés. Les catalogues de vente du XVIIIᵉ siècle attestent l'existence de plâtres anciens issus sans aucun doute de l'atelier de l'artiste. Pour celui de la vente de Selle (19 février 1761), le catalogue afirme même que comme la *Vénus* qui lui faisait pendant, il a été «très bien réparé sous les yeux de l'auteur». Celui de la vente de Mme Devisme, petite-nièce de Pigalle (17 mars 1888) était peut-être celui du Salon de 1742. Mais beaucoup d'autres n'étaient déjà que des surmoulages ou des copies, et furent à l'origine des innombrables bronzes exécutés au XIXᵉ siècle, pour la plupart sans marque de fondeur. Ni la version très réduite (h. 0,18 m) en biscuit éditée par Sèvres après 1770, ni la version en «black basalt» de la manufacture de Wegdwood ne peuvent être considérées par ailleurs comme de fidèles reflets de l'original de Pigalle.

Le succès du *Mercure* est aussi attesté par l'usage qui en fut fait pour l'éducation des artistes. Chardin, ami de Pigalle, non content de l'avoir introduit dans sa composition des *Attributs des Arts* (Leningrad et Minéapolis) le proposa comme modèle au jeune dessinateur de *l'Etude du Dessin* (Vanås, et gravure, d'après Chardin, par Lebas). Aussi ne faut-il pas s'étonner de retrouver un plâtre du *Mercure* à l'Académie de San Fernando de Madrid, dans la vente du graveur Basan en 1778, dans l'inventaire après décès de Clodion en 1814 et même semble-t-il dans l'atelier du peintre Boilly, à l'arrière-plan du *Portrait de la femme de l'artiste* (Williamstown Massachussets, Sterling and Francine Clark Institute).

La vogue persistante du *Mercure* comme modèle d'atelier est d'autant plus remarquable que par son attitude tournoyante, où les lignes de force associent la spirale et les angles aigus, cette figure est typique du style rocaille, style bien décrié à la fin du XVIIIᵉ siècle.

Bibliographie: Mariette, p. 155; Mopinot, 1786, pp. 4-5; Suard, 1786, p. 287; Dezallier, 1787, pp. 392-394; Manuel, 1789, p. 225; Tarbé, 1859, pp. 24, 228, 230; Rocheblave, 1905, pp. 413-416; Rocheblave, 1906, p. 43; Rocheblave, 1919, pp. 30, 161-173; Vitry, 1922, nᵒ 1442; Vitry, 1925, p. 551; Furcy-Raynaud, 1927, pp. 254-258; Charageat, 1953, pp. 217-218; Réau, 1950, pp. 35-36, cat. nᵒ 1; Le Corbellier, 1963-1964, pp. 23-28; Levey, 1964, pp. 462-463; Bresc-Bautier, 1980, nᵒ 19.

Expositions: Paris, 1934, nᵒ 778; Paris, 1950, nᵒ 52; Paris, 1967, nᵒ 36.

Provenance: Château d'Anet; saisi le 16 Prairial an II (comme bien de «l'émigré Penthièvre»), envoyé au dépôt de la rue de Beaune; affecté aux jardins du Directoire (Petit Luxembourg); transporté au Louvre le 10 février 1873 et non inventorié à cette date.
Inventaire: RF 3023.

Mercure
attachant
ses talonnières

Statue.
Plomb.
Signé et daté sur la tranche de la terrasse : **Pigalle,**
1753.
H. 1,871 ; L. 1,08 ; Pr. 1,05.

Dès 1742, et avant même que le Salon ait confirmé l'éclatant succès de l'invention du *Mercure*, le contrôleur Orry commandait, pour le Roi, à Pigalle deux statues en marbre de grandeur naturelle représentant *Mercure* et *Vénus*.

Dans une certaine mesure, l'histoire de ces grands marbres est presque indépendante de celle du petit *Mercure* du Louvre qui fut le «morceau de réception» de l'artiste ; celui-ci ne mesure en effet que 0,58 m de hauteur alors que d'après un «mémoire» rédigé par l'artiste le 24 mars 1747, les deux plâtres de *Mercure* et de *Vénus* exposés au Salon mesurait deux pieds dix pouces (soit 0,76 m environ), ce qui correspondait à peu près à un modèle à tiers d'exécution des statues commandées.

Pigalle obtint de commencer par le *Mercure*, sans doute parce qu'il travaillait au même moment à son morceau de réception ; le bloc lui fut délivré par les magasins du Roi le 29 septembre 1743 et le livret du Salon de 1745 indique sous son nom : «la tête de plâtre de la statue de Mercure que l'auteur a exécuté en marbre de 7 pieds de proportion pour le Roy». S'agissait-il d'un plâtre d'atelier d'après le grand modèle ? ou d'un sur-

1/ *Mercure*. Terre-cuite, modèle de la manufacture de Sèvres. Musée national de céramique.

2/ *Mercure*. Biscuit, manufacture de Sèvres. Musée national de céramique.

moulé partiel exécuté sur le marbre déjà achevé ? Le *Mercure*, envoyé en cadeau par Louis XV à Frédéric II en 1750, porte, comme la *Vénus* qui lui fait pendant, la date de 1748, mais ce millésime correspond peut-être à l'ultime travail de finition exécuté sur ces œuvres lorsque, pendant la durée du Salon de 1748, le public fut invité à venir les voir dans l'atelier de l'artiste, cour du Vieux-Louvre. Il semble bien en effet que dès 1746, le *Mercure* était achevé puisque Pigalle a affirmé, dans un des justificatifs dont il a étayé ses réclamations de paiement, avoir travaillé trois ans et demi sur cette œuvre, en y incluant le petit modèle (celui du Salon de 1742), le grand modèle et les deux années de travail du marbre, avec l'aide d'un compagnon et d'un manœuvre d'atelier.

Le départ pour la Prusse de ce qui était déjà considéré comme son chef-d'œuvre, fut certainement très vivement ressenti par Pigalle. Sans doute avait-il conservé le grand modèle en plâtre «de sept pieds de proportion». Il est en effet probable que c'est à partir de ce modèle en plâtre que fut exécuté le grand plomb aujourd'hui au Louvre. Celui-ci porte la date de 1753 qui ne correspond à rien dans ce que l'on sait de l'histoire du *Mercure* : aucune commande n'est en effet signalée à cette date. Ce grand plomb est en revanche à rapprocher de l'existence d'un certain nombre de statues exécutées dans ce même matériau, qui se trouvaient dans le jardin de la dernière maison de Pigalle, rue La Rochefoucauld, et que signale son inventaire après décès : *Madame de Pompadour en Amitié*, *L'Amitié embrassant l'Amour*, le *Voltaire nu*, accompagnés d'un *Apollon* de Coustou (d'après celui de Postdam ?) et d'une *Vénus de Médicis*.

On peut en conclure que Pigalle avait fait «jeter en plomb» quelques-unes de ses plus illustres créations soit pour l'ornement de son jardin (mais alors pourquoi le *Mercure* n'y figurait-il pas ?), soit plus vraisemblablement pour pouvoir éventuellement les proposer aux amateurs intéressés par l'acquisition de grandes statues de plein air (et en ce cas le *Mercure* aurait été vendu). Le *Mercure* en plomb du Louvre provient d'ailleurs du parc du

1  2

1-2/ Jean-Baptiste Pigalle. *Mercure*. Marbre, 1748. Berlin-Est. National-Galerie.

3/ Hubert Robert. *La terrasse de Marly*. Huile sur toile. Kansas City. Nelson and Atkins Gallery of Art.

château d'Anet, propriété au XVIIIᵉ siècle de la famille d'Orléans qui avait déjà racheté à Pigalle le marbre de *Madame de Pompadour en Amitié*.

Comme toutes les grandes statues de plomb, l'œuvre a souffert de son exposition en milieu humide : l'armature de fer, pourtant très forte, s'est en grande partie disloquée, voire même désagrégée, et les formes en ont été assez profondément altérées, notamment au niveau du torse (fissures) et dans l'équilibre même de l'œuvre. Il semble de plus qu'à une date impossible à préciser, ce plomb ait été peint avec une discrète opposition de ton entre les chairs rosées et le nuage gris.

Tel quel cependant, ce *Mercure* montre bien la monumentalité de l'art de Pigalle. Il n'apparaît pas comme un agrandissement du morceau de réception mais comme une œuvre autonome, largement et sobrement traitée, plus proche de l'antique dans le visage mais plus puissamment baroque dans le traitement des masses et des plans.

Il est curieux de noter que l'on connaît par ailleurs quelques exemplaires en plomb du *Mercure*, dans une dimension proche de celle du petit marbre du Louvre. L'un d'eux passe pour provenir de la succession de Mme Devisme, petite-nièce de Pigalle, et présente d'intéressantes variantes aussi bien par rapport aux deux marbres que par rapport à la terre cuite de New York. Peut-être conserve-t-il le souvenir d'une des nombreuses études d'après les «modèles naturels» dont Pigalle fait état dans ses divers mémoires.

Il faut noter enfin que dans la célèbre *Terrasse du château de Marly* (Kansas City, Nelson and Atkins Gallery), Hubert Robert a figuré un *Mercure* de grande dimension qui, par sa couleur, pourrait plutôt être en plomb qu'en marbre. Il ne semble pas qu'une telle œuvre ait jamais été mise en place à Marly. Entendait-il par cette vue d'imagination protester, à sa manière, contre «l'exil», loin de Paris, du chef-d'œuvre de Pigalle ?

3

Bibliographie : Mariette, p. 156, in-1 ; Tarbé, 1859, p. 230 ; Rocheblave, 1919, pp. 168-169 ; Vitry, 192, nᵒ 1448 ; Reau, 1950, p. 36.

Exposition : Paris, 1974-1975, nᵒ 81.

Vénus

Statuette.
Terre cuite.
H. 0,570 ; L. 0,320 ; Pr. 0,272.

L'histoire de la *Vénus* de Pigalle est inséparable de celle du *Mercure*. C'est en effet à la demande du contrôleur général Orry que Pigalle intégra le *Mercure*, conçu d'abord comme une œuvre isolée dans un groupe de Vénus et Mercure composé de deux figures indépendantes, dont les petits modèles parurent au Salon de 1742. Mais, alors que, pour le *Mercure*, le grand modèle fut établi sur la base du petit tel qu'il avait été présenté au Salon, Pigalle reprit ses études sur la *Vénus* ; dans le modèle en grand de celle-ci, exécuté sans doute en 1746-1747, l'attitude de la déesse différait sensiblement de ce qu'elle était dans le petit modèle du Salon de 1742. Le marbre qui fut envoyé à Frédéric II avait été exécuté d'après ce grand modèle et ne peut donc nous donner une idée exacte de la première pensée. Or un certain nombre d'œuvres, parmi lesquelles la terre cuite offerte au Louvre en 1862 par le baron Cloquet, et aussi la statue de *Vénus* qu'Hubert Robert a fait figurer dans un de ses tableaux aujourd'hui au Metropolitan Museum de New York, paraissent refléter ce premier modèle disparu. On y voit Vénus, assise sur une nuée, dans une pose gracieuse, mais assez désinvolte qui balance très exactement celle du *Mercure* et contraste fortement avec l'attitude plus conventionnelle mais plus noble de la *Vénus* de Postdam. S'il est très tentant de penser que cette composition correspond bien au premier modèle de Pigalle, deux questions néanmoins se posent. Pourquoi Pigalle a-t-il modifié l'attitude de sa *Vénus* ? Pourquoi seule la première version aurait-elle été diffusée

sous forme de terres cuites, voire de copies en pierre, alors que l'on ne connaît aucune réplique ou réduction de la *Vénus* de Postdam ?

Donner une réponse à la seconde question équivaut peut-être en fait à répondre à la première. Si Pigalle a mis en circulation des œuvres dérivées du modèle du Salon de 1742, c'est sans doute que le changement d'attitude lui avait été imposé et ne venait pas de sa propre initiative (en dépit de la présentation des faits qu'il a donné dans un *mémorandum* du 24 mars 1747 où il justifie le changement par son désir « de rendre l'exécution plus parfaite »). En effet malgré les précédents fournis par certaines figures de Jean Bologne, la position croisée des jambes a pu paraître indigne à la fois d'une déesse et d'une grande statue de marbre. Peut-être a-t-on jugé aussi trop importante et trop visible la masse nuageuse. Ce jugement était-il déjà celui du contrôleur général Orry ? Ou est-ce Le Normant de Tournehem qui, en confirmant la commande, exigea cette modification ? La chronologie de cette période de la vie de Pigalle est trop incertaine pour qu'on puisse rien affirmer. Une note en marge de *l'Etat des ouvrages qui ont été distribués aux artistes* indique cependant à propos de Pigalle : « a présenté deux esquisses pour en être fait choix par M. de Tournehem ». Pigalle, alors au début de sa carrière, accepta de donner à sa *Vénus* une attitude plus conforme aux usages mais où était moins sensible cette « tendresse » qu'impliquait pourtant le texte du livret du Salon de 1747. Persuadé d'avoir raison sur le fond, il n'abandonna point totalement sa première composition et la suite de sa carrière (qu'il s'agisse du *Mausolée du Maréchal de Saxe* ou du *Voltaire nu*) le montre autrement opiniâtre.

Mais la *Vénus* dite « aux colombes » (titre trompeur car la version de Berlin a elle aussi pour attribut, deux colombes) pose d'autres problèmes. Plus petite que le modèle du Salon de 1742 (0,58 m contre 0,76) elle est visiblement faite pour être assortie par sa taille à un *Mercure* de la

1

Provenance : Ne peut être identifiée avec certitude dans les ventes anciennes ; correspond néanmoins par ses dimensions à une terre cuite du Cabinet de Lalive de Jully (5 mars 1770, n° 91) dont le prix assez faible (100 livres) est à comparer au prix atteint par la terre cuite originale du *Mercure* qui fut vendue 1 001 livres à la vente Julienne (30 mars 1767). Don du baron Cloquet, 1862.
Inventaire : O. A. 1980.

dimension du marbre du Louvre. Faut-il penser que Pigalle a recomposé ainsi un groupe susceptible de plaire aux amateurs ?

La découverte en 1892 de deux torses mutilés dans un ruisseau du parc de Millement, dont l'un correspond au *Mercure* et l'autre à la *Vénus* « première manière » tendrait à prouver que l'atelier de Pigalle exécuta aussi des versions des deux figures dans un module assez grand (1,50 m) quoique inférieur au marbre de Berlin, comme celles qui figurent sur le tableau déjà cité, d'Hubert Robert ; mais existent aussi des répliques tardives, soit du groupe complet, soit de la *Vénus* seule et il est probable en particulier que la *Vénus* déposée par le Louvre au Palais de l'Elysée en 1972 (inv. R.F. 2719) n'est pas, en dépit de sa signature « J. B. Pigalle, 1750 », antérieure au XIXe siècle. Elle serait alors contemporaine de nombreuses petites versions en terre cuite, portant les dates les plus fantaisistes (1739, 1760) et aussi d'une réplique en pierre aujourd'hui très mutilée, mise en place après 1840 dans le jardin de la place Darcy à Dijon, en compagnie d'autres copies de sculptures célèbres de l'Ecole française. Lors de son voyage à Berlin en 1776, après avoir contemplé avec un certain détachement le *Mercure*, puis la *Vénus* « seconde version » offerts à Frédéric II, Pigalle aurait déclaré à ses compagnons : « Je serais fâché, si je n'avais fait mieux depuis. » Peut-être se souvenait-il alors de la première version de sa *Vénus*, jamais réalisée en marbre, et dont la petite terre cuite du Louvre, malgré la sécheresse d'un estampage trop mécanique, est un intéressant témoin.

2

Bibliographie : Tarbe, 1859, p. 39 ; Pélissier, 1908 (1) ; Roche-blave, 1919, pp. 171-172, 369 ; Vitry, 1922, n° 1451 ; Charageat, 1953, p. 219.

1/ Hubert Robert. *Le bain.* Huile sur toile, 1777. New York, Metropolitan Museum.

2/ Jean-Baptiste Pigalle. *Vénus.* Marbre, 1748. Berlin-Est, National Galerie.

L'Enfant à la cage

Statuette.
Marbre.
H. 0,474 ; L. 0,320 ; Pr. 0,345.
Signé sur l'angle antérieur gauche de la terrasse :
«PIGALLE.F/174.» (mutilé).

« Vous connaissez cet enfant... C'est, ma foi, la plus belle chose qu'il ait faite, et qui soit sortie du ciseau de nos sculpteurs français. Lorsque nous le vîmes pour la première fois, nous n'avions pas les yeux nécessaires pour en sentir le mérite. » Ainsi s'exprimait Diderot dans une lettre adressée à Grimm, le 13 décembre 1776.

L'Enfant à la cage avait connu dès sa présentation au Salon de 1750 un vif succès, mais Diderot n'a sans doute pas tort de souligner que l'importance de cette œuvre n'était pas alors apparue clairement : elle pouvait en effet être considérée comme une variante particulièrement réussie de ces figures d'enfants, dérivées plus ou moins directement des créations de François Duquesnoy, dont le succès ne s'était pas démenti depuis près d'un siècle et demi.

Or, pour deux raisons, *l'Enfant à la cage* échappe, en partie, à cette tradition issue de Duquesnoy : d'une part c'est un véritable portrait puisqu'il s'agit du fils unique de Pâris de Montmartel, parrain de Mme de Pompadour, et banquier de la Cour ; il a été conçu, d'autre part, pour être mis en pendant avec une sculpture antique (ou supposée telle) en albâtre représentant un enfant tenant un oiseau, ainsi qu'en témoigne l'inventaire après décès du possesseur (1760).

Un critique comme Mariette se montre, par la suite, surtout sensible aux qualités du travail du marbre ; par ailleurs, l'attitude originale, mais d'une composition parfaitement équilibrée, de ce petit garçon, apportait une heureuse variante au répertoire des modèles d'atelier représentant des enfants. Coypel, Michel-Ange Slodtz, Van Loo, en possédaient des plâtres. Cette œuvre de Pigalle fut aussi utilisée comme motif dans des natures mortes (cf. le morceau de réception de Piat-Joseph Sauvage) et l'exécution d'une réduction (vers 1770 ?) par la manufacture de Sèvres qui éditait déjà des modèles d'après Duquesnoy (*Enfants François*, plus ou moins modifiés par la Rue) atteste le succès de *l'Enfant à la cage*.

C'est pourquoi il ne faut pas s'étonner qu'il existe d'innombrables répliques de cette œuvre. L'identification du marbre qui fut exécuté pour Pâris de Montmartel, avec celui légué au Louvre par Costantini en 1884 et dont l'histoire est par ailleurs bien connue, est confirmée par un curieux détail : la signature PIGALLE/1749 a été mutilée lorsque l'on a abattu les angles de la plinthe, dont le plan original était certainement rectangulaire. Le portrait de Pâris de Montmartel par La Tour, gravé par Cathelin, donne l'explication de cette mutilation : *l'Enfant à la cage* y est représenté monté sur un somptueux socle de style rocaille, en bois ou en bronze doré, et comme il est arrivé pour beaucoup de marbres ou de bronzes, ainsi présentés, la plinthe a été modifiée pour mieux s'insérer dans le socle.

L'exécution de *l'Enfant* aurait été précédée par une étude, en terre cuite, de la tête seule (signalée par Réau dans une collection privée). Mais il n'est pas certain que les *Têtes d'enfant* en marbre qui apparaissent dans les ventes Trudaine (20 décembre 1777, n° 79), Feuillet (6 avril 1784, n° 11), et Aranc de Presle (16 avril 1792), et dont la localisation actuelle est inconnue, soient autre chose que des copies partielles de l'œuvre.

Il a existé en revanche du vivant de Pigalle, quelques fontes en bronze : lui-même en possédait une dans son salon. Une autre figurait à la vente

Provenance : Collection de Pâris de Montmartel ; racheté par Pigalle à la vente du marquis de Brunoy (2 décembre 1776, n° 63 pour 7 200 livres) ; figure dans l'inventaire après décès de Pigalle en 1785 ; vendu par sa veuve à Donjeux ? (en même temps que *la Jeune fille à l'épine* ?) ; vente Donjeux (29 avril 1793, n° 491) ; coll. famille Fontenillat, puis Mme Giraud, née Fontenillat, à Pontoise, Fouché (1869) puis, par héritage, Costantini. Donné au Louvre par M. Costantini en 1884.
Inventaire : RF 654.

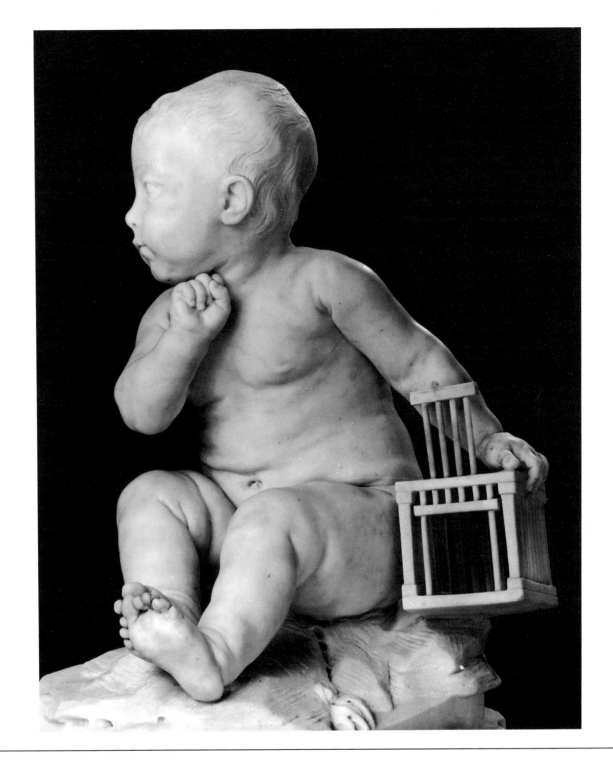

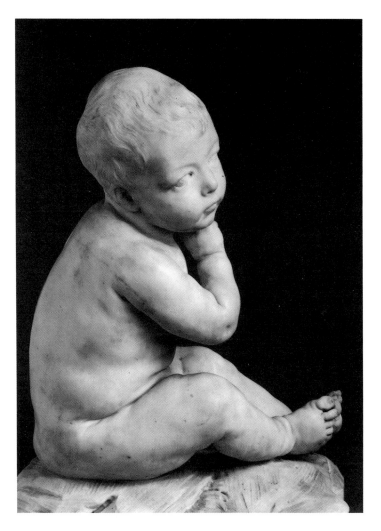

par la Commission de récupération des œuvres d'art spoliées par les nazis, appartiennent à cette dernière série.

Comment s'étonner du succès de cette œuvre charmante et anecdotique : l'expression boudeuse de ce gros bébé, prêt à pleurer, qui espère encore le retour de son oiseau, amuse et émeut à la fois. Mais c'est surtout dans le modelé du corps potelé, aux innombrables fossettes, que Pigalle montre son originalité et sa maîtrise. Son sens de la nature vraie lui permet d'échapper aux conventions qui régissent trop souvent au XVIIIe siècle, les représentations de la petite enfance.

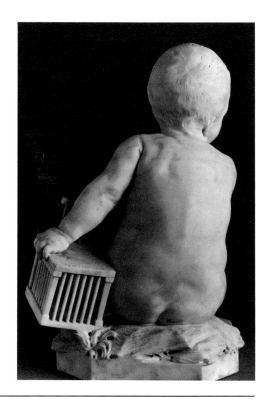

après décès de l'architecte Soufflot (20 novembre 1780, no 122), réapparue ensuite dans la vente du comte de Merle (1er mars 1784, no 113). D'après le témoignage direct de Tarbé, c'est entre 1848 et 1853 que deux fabricants de bronze ont multiplié, au prix modique de 60 francs, les fontes de *l'Enfant à la cage*, avec, en pendant, *l'Enfant à l'oiseau* (cf. notice suivante) ; quelques fontes des deux œuvres avaient néanmoins été exécutées, sinon du vivant de Pigalle, du moins peu après sa mort (cf. vente Marin, 22 mars 1790, no 707). Thomire en aurait fait une édition en 1823. Il est possible que deux bronzes, attribués au Louvre

1/ *Enfant à l'oiseau*. Antique restaurée. Rome, Musée du Vatican.

2/ *Jean Pâris de Montmartel*. Gravure de L.S. Cathelin d'après Maurice Quentin de La Tour et Charles Nicolas Cochin (détail).

1

2

Bibliographie: Diderot (éd. Lewinter),t. 11, p. 1183; Mariette, p. 156; Mopinot, 1786, p. 11; Suard, 1786, p. 289; Dezallier, 1787, p. 396; Blanc, 1857-1858, t. 2, pp. 25 et 94; Tarbé, 1859, pp. 232-233; Pélissier, 1908 (2); Dubois-Corneau, 1917; Rocheblave, 1919, pp. 289-293; Réau, 1923 (1), p. 383; Réau, 1950, pp. 106-107, cat. n° 36; Bresc-Bautier, 1980, n° 20.

Exposition: Paris, 1974-1975, n° 82.

La Fillette
à l'oiseau
et à la pomme

Statuette.
Marbre.
H. 0,439 ; L. 0,333 ; Pr. 0,368.
Signé et daté en une seule ligne à droite : **PIGALLE**
F. 1784.

«Je l'ai vu entreprendre et réussir à faire le pendant de cet *Enfant à la cage*», écrit en 1786 Mopinot, biographe de Pigalle et témoin direct de ses dernières années, qui a donc assisté à la genèse des deux dernières œuvres du sculpteur, la *Jeune fille à l'épine* à laquelle il travaillait l'année de sa mort et la *Fillette à l'oiseau et à la pomme* achevée l'année précédente. Trente-cinq ans séparent les deux «enfants»; mais l'initiative de Pigalle est plus compréhensible si l'on songe qu'en 1774 il avait racheté le marbre de *l'Enfant à la cage* à la vente du marquis de Brunoy et qu'il le conservait dans son atelier au moment de sa mort, comme en témoigne son inventaire après décès. Dans ce surprenant regain d'activité du sculpteur dans les dernières années de sa vie, il y a certainement la volonté de répondre à ses détracteurs qui avaient vu dans le *Monument du comte d'Harcourt*, et surtout dans la statue de *Voltaire nu*, les preuves du déclin irrémédiable de celui qui avait été considéré comme le plus grand des sculpteurs français. Malgré les honneurs académiques dont il était comblé (ou plus sûrement encore à cause de ces honneurs), Pigalle n'était pas très aimé de ses confrères plus jeunes : Emeric-David, quelques

décennies plus tard, évoquera sa «tyrannie» et son hostilité à l'idéalisation ; déjà en 1768 un incident avait éclaté lors de l'attribution du Premier Prix de Sculpture et il avait été accusé de partialité. Juste après sa mort les «*Mémoires secrets*» du 25 août 1785 écrivent en guise d'épitaphe : «Ce qui peut consoler de la perte de ce grand artiste, c'est qu'il vieillissait beaucoup et aurait été forcé incessamment de se livrer au repos.»

Au premier abord, la *Fillette à l'oiseau et à la pomme* séduit moins que *l'Enfant à la cage*: la pose paraît moins naturelle, le balancement des formes moins heureux ; en 1785 d'ailleurs, le garçonnet était estimé 6 000 livres et la fillette 3 000 seulement ; mais un examen plus attentif fait mieux saisir la finesse de l'observation et du rendu : plis grassouillets du cou, fossettes des reins, pieds «ronds» du bébé qui ne sait pas encore vraiment marcher, équilibre incertain du petit corps prêt à rouler sur lui-même. Bien que la statuette puisse être considérée comme une œuvre complète en elle-même, les attributs mis dans les mains de la fillette permettent, bien sûr, de la rattacher, comme dans un petit conte, à *l'Enfant à la cage*: elle se serait emparée de l'oiseau et offrirait au garçonnet une pomme en échange. Mais il est remarquable que son sourire, bien loin de s'adresser, moqueur, à son compagnon, reflète plutôt l'émerveillement naïf qu'elle éprouve à jouer avec le fruit. Malgré le sens grivois que, sémantiquement, la pomme et l'oiseau pourraient associer à ce groupe, il paraît singulier de chercher dans ces deux enfants des «allusions libidineuses» (Souchal, 1980, p. 193). A moins de considérer comme choquant le caractère franchement sexué du corps de la fillette.

Mais bien que réunis aujourd'hui au Louvre, les deux marbres de *l'Enfant à la cage* et de la *Fillette à l'oiseau et à la pomme* ne sont pas des pendants d'origine. Si *l'Enfant à la cage* est bien, comme on l'a vu, celui qui se trouvait en 1785 dans l'atelier

Provenance : Aurait appartenu successivement à Mlle Duthé puis à Mlle Raucourt, actrice du Théâtre Français (1756-1815) ; rachetée à sa mort avec le mobilier de son hôtel par Daniel Dollfuss-Mieg de Mulhouse et restée dans la famille jusqu'en 1887 ; entre en 1888 dans la collection de la comtesse d'Yvon, le 30 mai 1892, n° 175 mais rachetée par sa fille, Mme de Trégomain (morte en 1903) et passée par héritage à Guy de Trégomain. Acquis par le Louvre en 1910 sur les arrérages du legs Audéoud.
Inventaire : RF 1511.

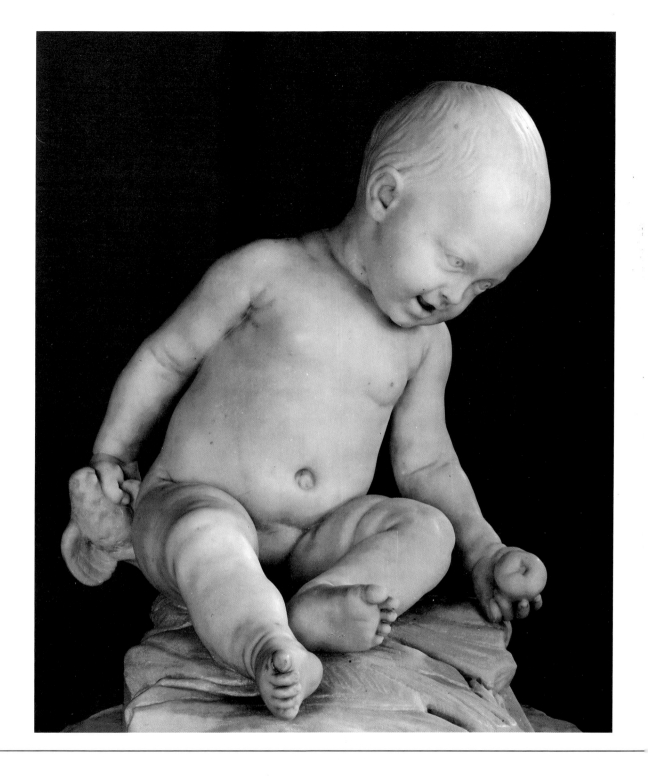

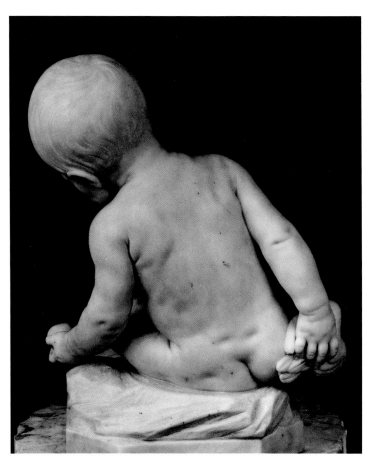

sième marbre, également signé «Pigalle 1784», passé dans la vente Valpinçon (7 mars 1881, n° 58) et qu'il faut peut-être identifier avec celui photographié dans une collection particulière parisienne vers 1900 par la firme Giraudon (signé sur deux lignes Pigalle F./1784).

Comparée à l'exceptionnelle qualité d'exécution de *l'Enfant à la cage* du Louvre, celle de la *Fillette à l'oiseau* peut paraître décevante; de plus, le marbre a été inopportunément ciré à une date ancienne et en a gardé une tonalité un peu jaunâtre. Mais à la différence des copies en marbre et en bronze exécutées au XIXᵉ siècle, la *Fillette* du Louvre a une franchise de modelé, une simplicité et une largeur d'exécution qui plaident en faveur de son authenticité. Le fait que Pigalle ait soigneusement conservé dans son atelier les modèles en plâtre et en terre cuite de la *Fillette* est parfaitement compatible avec l'exécution de deux ou trois exemplaires du marbre.

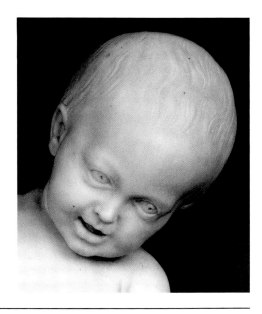

de Pigalle, la *Fillette* qui l'accompagnait, passée par héritage à la petite-nièce de Pigalle, Mme Devisme, fut vendue le 17 mars 1888, et serait actuellement dans une collection privée britannique. La provenance du marbre du Louvre permet de remonter à une date très voisine de la création de l'œuvre et il est généralement considéré comme un «second original» (mieux vaudrait dire d'ailleurs «réplique authentique»). Il a existé un troi-

---

1/ Jean-Baptiste Pigalle. *L'enfant à l'oiseau mort*. Marbre. Collection particulière.

1

Bibliographie: Mopinot, 1786, p. 11; Tarbé, 1859, p. 233; Rocheblave, 1919, pp. 293-295, 364 (inventaire); *Notes...*, 1903, p. 231; Réau, 1950, pp. 106-107, cat. n° 37.

Expositions: Paris, 1884, n° 276? (cf. commentaire d'A. de Montaiglon dans *Revue de l'Art français*, 3ᵉ série, t. 1, 1884, p. 41, qui tend à prouver que ce n'est pas l'exemplaire du Louvre); Vienne, 1966, n° 139.

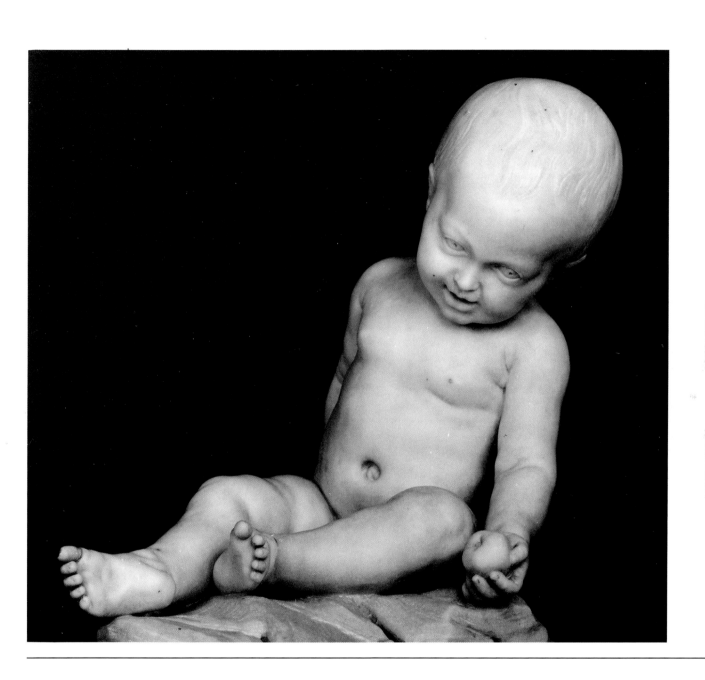

Madame de Pompadour en Amitié

Statue.
Marbre.
H. 1,665 ; L. 0,628 ; Pr. 0,555.
Signé sur le tronc d'arbre à l'arrière : **J.-B. Pigalle fecit/1753.**
Inscription sur la face antérieure de la plinthe : **Mse DE POMPADOUR.**

La statue de *l'Amitié* appartient autant au domaine de l'histoire politique qu'à celui de l'histoire de l'art : en commandant cette statue à Pigalle en 1750 et en la plaçant ensuite dans le parc du château de Bellevue au centre d'un bosquet, naguère consacré à l'Amour, la favorite voulait faire connaître, d'une manière à la fois publique et officieuse, la nature des liens qui désormais l'unissaient au Roi. De ce point de vue on ne peut séparer l'œuvre de Pigalle, ni de la statuette de *l'Offrande du Cœur* dont Falconet fournit le modèle à la manufacture de Sèvres (1755), ni du marbre de *l'Amitié offrant son cœur* exécuté par le même Falconet (Paris, coll. Rothschild) et terminé seulement en 1765, un an après la mort de la favorite. Tous les commentateurs (Tarbé, Rocheblave, Réau, Gordon) ont fait naturellement le rapprochement entre *l'Amitié* de Pigalle et certaines images de la *Suite d'estampes gravées à l'eau-forte par la marquise de Pompadour d'après les pierres gravées de Guay, graveur du Roi* (et en particulier avec les intailles qui composaient le cachet personnel de Mme de Pompadour). Il ne faut pas toutefois exagérer l'importance de ces comparaisons : le « culte de l'Amitié » était très répandu au XVIIIᵉ siècle et Mme de Pompadour a sans doute plus emprunté qu'innové ; même en se limitant au seul domaine de la sculpture, on pourrait citer un assez grand nombre de représentations de l'Amitié (Slodtz, Caffieri, Tassaert, Lorta) qui ne se rattachent pas directement au mécénat de la marquise.

Pigalle s'est dans l'ensemble conformé au schéma que les iconologues prescrivaient pour les personnifications de l'Amitié : Ripa, dans son *Iconologie*, la décrit comme une jeune femme, vêtue d'une simple robe blanche, la poitrine découverte et modestement coiffée elle doit avoir les bras nus, pour montrer qu'elle est prête à aider ceux qu'elle aime ; près d'elle, le tronc d'un orme abattu, autour duquel s'enroule un pied de vigne, indique que l'Amitié demeure, même dans l'adversité. Le sculpteur ne s'est éloigné de Ripa que sur deux points : alors que pour *l'Iconologie*, l'Amitié montrait son cœur à l'intérieur de sa poitrine ouverte (voire même le tenait dans sa main), celle de Pigalle se contente d'indiquer, d'un geste plein de douceur, l'endroit où bat son cœur ; à ses pieds est posée une couronne, non pas de myrte et de grenades, comme l'indiquait Ripa, mais de fleurs « de toutes les saisons » pour reprendre les termes du « Mémoire d'estimation » établi par Cochin le 21 août 1760 peu avant le parfait paiement de la statue. Cochin lui-même, et Boudard, dont les traités d'iconologie sont postérieurs à l'exécution de l'œuvre, fournissent une explication recevable pour la modification de cet attribut : si l'Amour n'a qu'un temps, l'Amitié fleurit à toutes les saisons de la vie.

Ce qui distingue avant tout la statue de Pigalle c'est qu'il s'agit d'un portrait. Le visage a certes souffert d'une trop longue exposition aux intempéries, mais on reconnaît aisément les traits de la marquise tels qu'ils apparaissent sur le buste (New York, Metropolitan Museum), commandé à Pigalle deux ans avant la statue, mais dont le marbre

Provenance : Jardins du château de Bellevue ; conservée par Mme de Pompadour lors de la vente de Bellevue au Roi en 1757 ; rachetée par Pigalle à la mort de la marquise (1764) puis vers 1770 (?) acquise par le duc d'Orléans et placée par lui dans les jardins du Palais-Royal ; acquise vers 1850 par le marquis d'Hertford pour les jardins de Bagatelle ; vendue en 1904 à Alphonse de Rothschild et installée dans l'hôtel de Talleyrand (hôtel Saint-Florentin) jusqu'en 1950. Donnée au Louvre en 1974 par le baron Guy de Rothschild. Inventaire : RF 3026.

1/ *L'Amitié.* Gravure par Mme de Pompadour d'après une intaille de Guay, 1753.

fut sans doute exécuté parallèlement à celui de *l'Amitié* (le modèle de celle-ci était presque achevé en mars 1750 et c'est en janvier 1751 que Pigalle a commencé le marbre du buste). Le front

bombé, le nez légèrement busqué, les yeux à fleur de tête, les joues pleines, et le menton un peu lourd ne composent pas un visage particulièrement attrayant ; mais Pigalle se montre incapable d'idéaliser, et de cette beauté fort peu sculpturale il a surtout mis en valeur le cou flexible et la belle ligne des épaules. De plus, en représentant la figure, non pas immobile, mais en marche, il a transformé le symbolisme conventionnel de « l'offrande du cœur », en un gracieux geste d'accueil. Il n'est pas jusqu'à la disposition assez exceptionnelle de la terrasse, en pente légère vers l'arrière, qui ne contribue à rendre plus vivant ce portrait allégorique justifiant la flexion de la jambe gauche et mettant en valeur l'inclinaison du torse.

L'attitude de cette figure trouva sa pleine justification lorsque la statue pédestre de *Louis XV*, commandée pour la marquise en 1752, fut érigée dans un parterre situé en vis-à-vis du bosquet où était *l'Amitié*. Mais alors que la statue du Roi demeura à Bellevue après 1757 (date du rachat du château par Louis XV) et fut détruite à la Révolution, celle de *Madame de Pompadour en Amitié* resta entre les mains de la marquise et fut vendue après sa mort. Mopinot (1786) affirme que Pigalle la racheta pour qu'elle ne sortît point de France et la vendit par la suite au duc d'Orléans chez qui elle se trouvait juste avant la Révolution. Le sculpteur en conservait dans son jardin un plomb, aujourd'hui disparu ; le plâtre du Musée de Versailles, exécuté sous le Second Empire témoigne semble-t-il d'un état moins altéré que celui du marbre actuel (mais peut-être s'agit-il d'un artifice de mouleur). On ne connaît pas précisément la date d'exécution d'un autre plâtre, teinté terre cuite, jadis dans la « Villa des Souvenirs » à Bellevue où il avait été placé au XIXᵉ siècle (actuellement dans une collection privée parisienne).

L'entrée du marbre au Louvre en 1974, grâce à une donation du baron Guy de Rothschild, peut être considérée comme un enrichissement majeur des collections nationales.

Bibliographie : Dezallier, 1755, pp. 30-31 ; Mopinot, 1786, p. 11 ; Suard, 1786, p. 288 ; Dezallier, 1787, p. 395 ; Tarbé, 1759, pp. 57, 100, 233 ; Rocheblave, 1905, pp. 422-426 ; Rocheblave, 1919, pp. 47, 187, 191 ; Réau, 1922 (1) ; Réau, 1950, pp. 39-40 et cat. nᵒ 3 ; Gordon, 1968, p. 258.

Expositions : Paris, 1950, nᵒ 53 ; Paris, 1980, 1981, nᵒ 57.

1/ Jean-Baptiste Pigalle. *Madame de Pompadour.* Marbre. New York, Metropolitan Museum (détail).

2/ *Madame de Pompadour en Amitié,* plâtre du Musée national du Château de Versailles d'après le marbre du Louvre (détail).

3/ François Boucher. *Madame de Pompadour.* Huile sur toile. Londres, collection Wallace (détail avec groupe inspiré de Pigalle au second plan).

L'Amour embrassant l'Amitié

Groupe.
Marbre.
H. 1,42 ; L. 0,808 ; Pr. 0,77.
Signé sur un rocher au revers : «**J. B. Pigalle/1758.**»

La commande en 1754 du groupe de *l'Amour embrassant l'Amitié* s'inscrit dans la suite de celle de la statue de la *Marquise de Pompadour en Amitié*, achevée en 1753, et dont il reprend en partie l'iconographie. Les deux œuvres avaient la même destination — le parc du château de Belle-vue — et la même signification politique : affirmer la position de la marquise devenue l'amie du Roi. Il semble bien en effet que l'on doive interpréter la composition du groupe non comme l'union de l'Amour et de l'Amitié (ce que suggère Dezallier d'Argenville) mais au contraire comme le triomphe de l'Amitié sur l'Amour qu'elle a dé-sarmé (arc et carquois sont à terre) et qu'elle ne saurait désormais craindre.

Dans une lettre au marquis de Vandières (futur Marigny) du 16 juillet 1754 Pigalle écrit : «Quant au dessin que vous m'avez demandé au sujet de l'Amour qui embrasse l'Amitié, j'y ai pensé il faut que mon imagination s'échauffe.» Malgré d'autres travaux (*Vierge à l'enfant* de Saint-Sulpice, projets pour le *Mausolée du Maréchal de Saxe*) Pigalle dut assez rapidement mener à bien son modèle car, dès le 4 décembre 1755, Marigny lui fit délivrer un bloc de marbre, d'ailleurs de qualité médiocre (il avait un fil et était irrégulier).

Une esquisse jadis dans la collection Alphonse Kann (vente 6-8 décembre 1920, n° 165, sous le nom de Falconet) est incontestablement en rap-

Provenance : Destiné aux jardins du château de Bellevue mais conservé par la marquise de Pompadour lors de la vente de Bellevue au Roi en 1757 ; racheté par Pigalle à la vente après décès de la marquise en 1764 et re-vendu par lui, en 1772, 20 000 livres au prince de Condé qui le plaça dans les jardins du Palais-Bourbon ; saisi en 1793 comme bien d'émigré et placé dans la salle des Antiques du Louvre (sous l'appellation *Vénus et l'Amour*) puis envoyé au palais du Luxembourg, «sous une ga-lerie» ; restitué au prince de Condé en 1816 et replacé dans les jardins du Palais-Bourbon ; com-pris dans la partie des jardins af-fectée à la construction du mi-nistère des Affaires étrangères ; versé au Louvre en 1879 sur l'intervention du ministre Wad-dington.
Inventaire : RF 297.

3

légèrement globuleux qui caractérisent les deux portraits. Le visage de l'Amitié, dans le groupe de *l'Amour et l'Amitié*, est beaucoup plus proche de celui de la *Douceur du gouvernement royal* du monument de Louis XV à Reims et il semble qu'on puisse aussi le reconnaître, un peu alourdi et marqué déjà par l'âge, dans l'Allégorie de la *France* du mausolée du maréchal de Saxe. Si certains détails ont été gommés sur le marbre du Louvre, assez usé par une trop longue exposition en plein air, le moulage exécuté par Dejoux en 1783 pour le temple de l'Amitié, érigé par la princesse de Monaco dans ses jardins de Betz (aujourd'hui à la Walters Art Gallery de Baltimore) montre dans toute sa fraîcheur le visage de l'Amitié, fort différent de celui de la marquise. Pour les contemporains, il ne faisait d'ailleurs

port avec ce groupe sans que l'on puisse y reconnaître avec certitude la main de Pigalle, dont les rares esquisses conservées sont d'un travail nettement plus vigoureux. Une *tête d'enfant* appartenant aux collections du Musée de Cluny, et datée de 1757, doit être en revanche considérée comme une étude pour le visage de *l'Amour*, d'une très grande intensité d'expression. Le groupe était achevé en 1758. Mme de Pompadour en fut assez satisfaite, au point d'en faire placer la silhouette, un peu déformée mais reconnaissable en arrière-plan d'un de ses portraits par Boucher (Londres, Wallace Collection). Assez curieusement la plupart des historiens d'art (à commencer par Rocheblave) ont voulu reconnaître dans cette seconde image de l'Amitié un nouveau portrait de Mme de Pompadour. Il est pourtant évident que le visage de la figure féminine est fort différent de celui des deux effigies de la marquise que nous a laissées Pigalle, même en tenant compte d'une idéalisation supposée, tout à fait inhabituelle chez le sculpteur. On n'y retrouve en particulier ni le cou très long, ni le nez un peu busqué, ni les yeux

1/ *L'Amour embrassant l'Amitié*. Plâtre, moulage exécuté par Dejoux. Baltimore, Walters Art Gallery.

2/ *L'Amour embrassant l'Amitié*. Terre-cuite de l'atelier de Pigalle. Versailles, Musée national du Château.

3/ *L'Amour embrassant l'Amitié*. Esquisse pour le marbre du Louvre? Terre cuite. Anciennement coll. Alphonse Kann.

aucun doute que seule la statue de *l'Amitié* proprement dite était un portrait de la marquise. Mme Geoffrin, dans une lettre à Stanislas Auguste Poniatowski, roi de Pologne, le 27 avril 1767, lui précisait même qu'il n'existait à sa connaissance que deux statues de Mme de Pompadour : «l'une représentant l'Amitié par Pigalle, l'autre est une Diane que M. Bouret... a fait faire par un de nos jeunes sculpteurs». Cette seconde statue, œuvre de Tassaërt, est peut-être celle signalée en 1878 par C. Doussault comme une œuvre de Pigalle et non localisée depuis. Sans doute ne faut-il pas confondre les statues qui par leur signification font allusion à la personnalité de la marquise (telle la *Musique* de Falconet) ou à certains épisodes de sa vie (*Vertumne et Pomone* de Lemoyne), et les véritables portraits. Ce caractère relativement impersonnel du groupe explique peut-être son succès. Alors que l'on ne connaît pas de réplique ancienne (à l'exception du plomb placé dans le jardin du sculpteur) de la statue de *Madame de Pompadour en Amitié*, *l'Amour et l'Amitié* fut souvent reproduit et imité. En dehors du moulage du temple de Betz, déjà mentionné, on en connaît au moins deux répliques en pierre (dont une est peut-être celle exécutée par Mouchy avant 1786) et des réductions en terre cuite dont plusieurs peuvent remonter au XVIIIᵉ siècle (dont une au Musée de Versailles). Mais il semble que la création de Pigalle ait été le point de départ d'innombrables variations sur le thème de l'Amour et l'Amitié ; les unes sont très fidèles à la composition originale (comme celle de *Mademoiselle Colombe embrassant l'Amour*, jadis dans la collection Ed. Kann que Réau attribuait à Pigalle lui-même et dont l'esquisse est conservée au Musée Bonnat à Bayonne), d'autres en modifient le sens (*l'Amitié surprise par l'Amour*, et *l'Amitié nourrissant l'Amour* par Caffieri) ou rompent totalement avec le schéma de Pigalle (*le Sacrifice des flèches de l'Amour sur l'autel de l'Amitié* par Tassaert). Mais bien peu de ces compositions peuvent rivaliser pour la simplicité et l'harmonie avec celle de Pigalle : la grâce naturelle du geste de la jeune femme, le petit corps cambré de l'Amour, l'entrelacement plein de tendresse des gestes font oublier ce que pourrait avoir d'artificiel le fatras obligé des attributs allégoriques.

Bibliographie : Mopinot, 1786, p. 11 ; Suard, 1786, p. 288 ; Dezallier, 1787, p. 395 ; Manuel, 1789, p. 226 ; Tarbe, 1859, p. 236 ; Rocheblave, 1906, p. 157 ; Furcy-Raynaud, 1907, p. 10 ; Rocheblave, 1919, pp. 194-197, 366 ; Réau, 1922 (1), pp. 213-218 ; Furcy-Raynaud, 1927, p. 268 ; Cordey, 1939, p. 47, nᵒ 488 ; Réau, 1950, p. 42 et cat. nᵒ 4 ; Brookner, 1965, p. 37 ; Bresc-Bautier, 1980, nᵒ 48.

Exposition : Paris, 1950, nᵒ 55.

4/ *L'Amour et l'Amitié*. Gravure par Mme de Pompadour, d'après une intaille de Guay.

5/ *L'Amour*. Terre-cuite. Paris, Musée de Cluny.

Mausolée du Maréchal de Saxe

Esquisse.
Bois et cire peinte.
H. 0,775 ; L. 0,330 ; Pr. 0,125 (H. monument seul 0,495).
Inscription : « Cy gi/le maréchal/de Saxe/décédé le **30 nov. 1750** ».

Il est assez difficile de situer l'esquisse conservée au Louvre dans la longue histoire du Mausolée du Maréchal de Saxe. Il paraît exclu de pouvoir identifier cette pièce avec l'un des deux projets que Pigalle avait remis au marquis de Vandières pour qu'ils soient soumis au choix du Roi ; il semble en effet assuré que ces deux projets « réduits sur deux plans séparés » selon les propres termes de Vandières (lettre du 12 février 1753) étaient des dessins et non des maquettes ; on sait, de plus, qu'après que le Roi eût pris sa décision, Vandières fit demander à Pigalle, par l'intermédiaire de Lépicié, secrétaire perpétuel de l'Académie, de modifier légèrement son projet en tournant la tête du maréchal de Saxe, non pas vers les animaux, symboles des nations vaincues, mais « avec la même fierté » vers la Mort (lettre du 19 mars 1753). C'est bien cette seconde attitude qui est donnée au maréchal dans la maquette. Un autre détail pourrait plaider également en faveur d'une datation relativement tardive : le petit génie placé derrière la femme assise (personnification de la France) est coiffé d'un casque. Or cet enfant était à l'origine une représentation de l'Amour pleurant la mort du maréchal ; ce rappel, assez cru, de certains aspects de la personnalité du vainqueur de Fontenoy parut choquant et Pigalle dut coiffer l'enfant d'un casque pour en faire un « génie de la guerre ». Lors de l'exposition du grand modèle dans l'atelier de Pigalle, en août 1756, cette transformation était déjà accomplie mais elle était très récente. Or, sur l'esquisse du Louvre, l'enfant est casqué ; il apparaît donc difficile d'identifier l'esquisse du Louvre avec le petit modèle exécuté « sur l'esquisse approuvée de M. le Mis de Marigny », sans doute en 1754-1755, d'après le mémoire du 13 février 1777 dans lequel Pigalle en fait mention.

L'hypothèse la plus vraisemblable est que la finalité de l'esquisse du Louvre touchait moins à la composition du tombeau lui-même qu'à son implantation dans le chœur du temple Saint-Thomas dont l'architecture est reproduite avec une relative exactitude. Elle pourrait donc être postérieure à 1771, car c'est seulement au début de 1772 que fut prise la décision définitive d'ériger le mausolée à Strasbourg (contre le souhait de Pigalle lui-même et d'un certain nombre d'amateurs) et que l'ordre fut envoyé au Prêteur royal de faire enfin commencer les travaux du caveau dans l'église Saint-Thomas. L'inscription qui n'a rien à voir avec la rédaction définitive établie seulement en 1777, après de longs débats, ne peut fournir aucun indice. Mais par ailleurs, dans les abondants échanges de correspondance entre Paris et Strasbourg, il est beaucoup question de plans, jamais de maquettes. On peut ainsi se demander si cette maquette ne fut pas établie à l'intention, soit de Cochin, soit d'un autre dessinateur, pour faciliter l'exécution d'une gravure avant le montage du tombeau ; l'estampe de Nicolas Dupuis d'après Cochin parut au Salon de 1761 mais d'autres lui succédèrent. Celle que Pigalle fit graver après la mise en place du tombeau et la suppression du casque de l'Amour et qu'il envoya le 8 septembre 1783 à d'Angiviller est évidemment exclue.

Quelle qu'ait été sa destination, la maquette du Louvre donne une image assez convaincante de

Provenance : Atelier de Pigalle ; donné par lui à Cave, peintre émailleur ; à Mlle Rifaut en 1816 et resté dans la famille jusqu'à son achat (?) par Ernest May ; don Ernest May, 1912.
Inventaire : RF 1551.

l'ensemble du mausolée, de sa composition et de sa polychromie, notamment de l'opposition entre la couleur du marbre de Senon, en Lorraine, qui revêt la paroi du fond du chœur, la «pyramide» en bleu turquin et le sarcophage en vert de mer. On reconnaît bien le maréchal descendant au tombeau avec à sa main droite l'aigle impérial effrayé, le lion hollandais en fuite et le léopard anglais renversé sur le dos au milieu des drapeaux abattus. A la gauche du maréchal, les drapeaux français sont redressés cependant que l'ex-Amour, devenu Génie de la guerre, s'essuie les yeux. La France en deuil — qui fut la figure la plus admirée des contemporains — tente de retenir le maréchal et d'éloigner la Mort, squelette drapé tenant un sablier. A l'autre extrémité du sar-

cophage dont la Mort soulève le couvercle, Hercule accablé s'appuie sur sa massue. La silhouette de Maurice de Saxe est un peu courtaude et certains détails paraissent grossis; de plus, les figures *d'Hercule* et de la *Mort* ont des plinthes indépendantes qui n'existent plus à Strasbourg. Mais, malgré le caractère assez étrange de l'objet lui-même, une part du lyrisme de l'œuvre définitive est perceptible dans cette esquisse.

1

1/ Jean-Baptiste Pigalle. *Mausolée du Maréchal de Saxe.* Marbre. Strasbourg, temple Saint-Thomas.

2/ *Mausolée du Maréchal de Saxe.* Gravure de Charles-Nicolas Cochin, terminée par N. Dupuis.

2

Bibliographie : Tarbé, 1854, pp. 255-256 (pour les gravures) ; Guiffrey, 1891, p. 165 ; Roche-blave, 1901 ; Michel, 1912 (1), pp. 302-303 ; Michel, 1912 (2), p. 47 ; Brinck Mann, II, 1925, pp. 114-115 ; Rocheblave, 1919, pp. 53, 202, 211 (in 1) ; Furcy-Raynaud, pp. 275-281, 322 ; Réau, 1950, cat. 33.
A paraître : Etude du Labora-toire de Recherches des Musées de France dans le cadre d'un ou-vrage collectif sur la *Sculpture en cire*.

Exposition : Paris, 1950, n° 54.

« Le Citoyen »

Esquisse.
Plâtre bronzé.
H. 0,395 ; L. 0,260 ; Pr. 0,262.

C'est sans doute au cours de l'année 1755 que la décision fut prise de confier à Pigalle le *Monument de Louis XV* qui devait être élevé sur la nouvelle place Royale de la ville de Reims. Un contrat provisoire du 3 février 1756 prévoyait l'installation de la statue du souverain dans une niche, au centre de la façade de l'Hôtel des Fermes qui devait occuper l'un des côtés de la place. Un contrat définitif du 18 décembre 1758 chargea au contraire Pigalle d'élever au Roi une statue pédestre isolée, avec en bas du piédestal deux personnages dont un «Citoyen qui se repose auprès d'un palmier, symbole de la paix, ayant d'un costé à ses pieds un loup et un agneau dormant ensemble et de l'autre une bourse ouverte». De l'autre côté une femme tenant un lion par la crinière était le symbole de la douceur du gouvernement royal ; mais cette allégorie dont l'iconographie était empruntée à un très ancien emblème de la Force fut interprétée par Diderot comme la personnification de l'Administration et par beaucoup de contemporains comme celle de la ville de Reims ou de la France. L'idée de placer au pied d'un monument royal, non pas des captifs enchaînés mais des images évocatrices d'un règne bienfaisant était nouvelle ; dans une lettre à Voltaire (du 3 juillet 1763, connue par la *Correspondance littéraire*), Pigalle, qui demandait au philosophe une inscription pour le monument, justifie sa démarche en avouant sa dette à l'égard de l'auteur du *Siècle de Louis XIV* ; c'est en effet la lecture du commentaire de Voltaire sur le monu-

ment de la place des Victoires («C'est un ancien usage des sculpteurs de mettre des esclaves au pied des statues des Rois. Il vaudrait mieux y représenter des citoyens libres et heureux») qui l'aurait détourné de suivre l'exemple de Martin Desjardins et poussé à orner le socle de Louis XV d'une image de la «félicité des peuples... rendue par un citoyen heureux jouissant d'un parfait repos au milieu de l'abondance». Le contrat déjà cité du 18 décembre 1758 faisait état pour l'ensemble du monument d'un modèle agréé par le Roi «dont l'esquisse lui avait été présentée par Mgr le marquis de Puysieul». Si ce modèle était en ronde-bosse, il est possible que le souvenir en soit conservé par le portrait de Pigalle dû à Mme Roslin (cf. p. 2). Mais il faudrait alors admettre que le projet était, dès cette date, parfaitement mis au point, ce qui est possible car les grands modèles étaient déjà achevés au début de 1761.

L'esquisse du *Citoyen* appartenant aux collections du Louvre pourrait donc dater de 1758. Elle paraît en tout cas, postérieure à l'esquisse en terre cuite conservée au Musée d'Orléans, plus spontanée et plus éloignée de la figure définitive. On ne peut cependant exclure l'hypothèse que cette figure, si soignée dans le détail, et dont le visage est si personnalisé, ait été exécutée non en vue du monument lui-même, mais pour servir de modèle aux sculpteurs de la manufacture de Sèvres chargés d'exécuter un surtout en biscuit dont la pièce centrale reproduisait le Monument de Reims. Toutefois elle est de proportion sensiblement plus forte que les rares exemplaires conservés de l'effigie du Roi, seuls éléments subsistants de cette réalisation à laquelle collabora Mouchy, neveu de Pigalle.

La statue du *Citoyen*, qui est en fait, on l'a vu, une allégorie du Commerce, fut tout de suite célèbre. C'est à son propos que Falconet aurait prononcé sa fameuse phrase : «Monsieur Pigalle je ne vous aime pas et vous me le rendez bien. On peut faire aussi beau puisque vous l'avez fait, mais

1/ Jean-Baptiste Pigalle. *Le Citoyen*. Bronze, Reims, place Royale.

2/ Jean-Baptiste Pigalle. *La douceur du Gouvernement royal*. Bronze. Reims, place Royale.

3/ Jean-Baptiste Pigalle. *Le Citoyen*. Esquisse, terre-cuite. Orléans, Musée des Beaux-Arts.

je ne crois pas que l'art puisse aller une ligne au-delà. » Le fait que cette figure ait été en outre un autoportrait de Pigalle augmentait encore l'intérêt qu'on lui portait et ce d'autant plus que, selon Dandré Bardon (et Tarbé qui affirme avoir vu l'acte), cette ressemblance avait été voulue par les représentants de la ville de Reims eux-mêmes. Suard et l'abbé Chaudon n'hésitent pas à son propos à évoquer le nom de Puget. Diderot, qui s'intéressait tout particulièrement à l'entreprise de Reims dans la mesure où l'architecte de cet ensemble, l'ingénieur Jean-Gabriel Legendre (qui possédait dans sa résidence de Châlons-sur-Marne plusieurs œuvres de Pigalle), n'était autre que le beau-frère de Sophie Volland, trouvait l'idée du Citoyen «simple et noble et l'exécution y répond»; il se séparait sur ce point de Grimm qui ne voyait en lui qu'un gros crocheteur. Mais il aurait souhaité plus d'unité dans la conception du monument. Il proposait de remplacer l'allégorie féminine et son lion par un laboureur et une femme allaitant, afin d'incarner, dans trois figures réelles, le Commerce, l'Agriculture et la Population (c'est-à-dire selon lui les trois sources de la richesses d'une nation). Louis Réau a souligné, non sans ironie, le côté «Troisième République» du programme de Diderot, suggérant peut-être involontairement que les véritables héritiers de Pigalle sont bien plus Dalou ou Constantin-Meunier, que Mouchy ou Moitte.

Provenance: Atelier de Pigalle; vente de Mme Vve Devisme, petite-nièce de Pigalle (17 mars 1888, n° 8); collection du docteur Larger à Maisons-Laffitte. Don D. David-Weill, 1929. Déposée au Musée Saint-Denis à Reims en 1962.
Inventaire: RF 1996.

Bibliographie: Diderot (éd. Seznecc-Adhémar, Salon de 1760, pp. 166-168); *Correspondance littéraire*, 1er juillet 1760; Legendre, 1765, pp. 5-7; Mariette, p. 156; Mopinot, p. 786, p. 7; Suard, 1786, p. 290; Dezallier, 1787, p. 397; Chaudon, 1789, p. 285; Tarbé, 1859, pp. 79-86, 93; Rocheblave, 1919, pp. 62, 226-227, 236; Vitry, 1929, p. 383; Réau, 1950, pp. 51-55, cat. n° 16.

Expositions: Paris, 1938, n° 107; Paris, 1984-1985, n° 168 (estam).

Georges Gougenot et son épouse

Médaillon ovale.
Marbre.
H. 0,606 ; L. 0,515 ; Ep. 0,102.
1767-1769 ?

Après la mort en 1767 de son ami et conseiller, l'abbé Louis Gougenot, Pigalle lui éleva (à ses frais selon une tradition non vérifiable) un monument funéraire dans l'église des Cordeliers, paroisse du défunt. Ce monument, de dimensions assez modestes et dont on ne connaît aucun dessin, se composait d'un buste de bronze de l'abbé Gougenot entouré « des attributs de sa dignité et de ses connaissances » avec (à la partie inférieure ?) le double portrait en médaillon de ses parents.

Georges Gougenot, né en 1674, était mort le 10 juin 1748 ; sa femme, Michelle Ferouillat, lui avait survécu seulement quelques années ; il s'agit donc de portraits posthumes. Mais Pigalle disposait pour les exécuter d'éléments de première main : en 1748, juste avant la mort de Georges Gougenot, il avait sculpté un buste en marbre de celui-ci.

Dans le *Mémorial* de la famille, l'abbé Gougenot a d'ailleurs consigné la commande à Pigalle de ce buste qui figure dans son inventaire après décès, avec les modèles en plâtre des bustes de l'abbé lui-même et de sa mère. Pigalle a donc adapté ses propres œuvres et tiré un bas-relief de ce qu'il avait auparavant sculpté en ronde-bosse.

Au premier examen, ce double portrait est surtout marqué par le contraste entre l'effacement à la fois psychologique et matériel du visage de Mme Gougenot, traité en assez faible relief à l'arrière-plan de la composition, et la présence physique de son mari dont le profil (« assez avantageux », au propre dire de son fils) occupe l'essentiel du champ du médaillon. Faut-il opposer aussi, comme l'a fait Réau (1950), l'air revêche de la première à la bonhommie du second ? A les bien observer, il y a chez Madame Gougenot plus de résignation que d'humeur acariâtre, et chez Monsieur plus d'autorité et de volonté de puissance que de jovialité. Même si Georges Gougenot n'avait pas encore vraiment franchi, malgré ses titres d'écuyer, de seigneur de Croissy et de conseiller-secrétaire du Roi, la barrière entre la bourgeoisie et la noblesse, il n'en était pas moins un personnage de quelque importance ; sa qualité de tuteur des princes de Condé impliquait aussi sans doute des talents particuliers en matière de finance. C'est un peu l'image d'une catégorie sociale en pleine ascension que nous donne ici Pigalle, image vraie, sans lyrisme ni complaisance, triviale peut-être mais émouvante à force de sincérité. Sans doute les amateurs du XVIIIe siècle n'auraient-ils pas manqué de regretter l'absence de « fini » de cette œuvre où le travail du ciseau et des râpes reste perceptible. Il est intéressant de comparer, à ce point de vue, le profil de Georges Gougenot, en costume contemporain, et tout vibrant des accents superficiels du marbre, au médaillon du comte de Caylus par Louis-Claude Vassé (Ecole des Beaux-Arts) daté de 1767 (exécuté donc sensiblement à la même date), traité à l'antique, d'une parfaite exécution mais légèrement idéalisé et impersonnel.

Le buste en marbre de Georges Gougenot, demeuré chez ses descendants jusqu'en 1956, est aujourd'hui au Musée de Melbourne. Celui de sa femme en plâtre a disparu. Le bronze de celui de l'abbé Gougenot, qui formait l'élément principal du monument funéraire des Cordeliers, avait été transporté, comme le médaillon de marbre de ses parents, au dépôt des Petits Augustins, mais n'est

1/ Jean-Baptiste Greuze. *Georges Gougenot*. Huile sur toile. Bruxelles, musées royaux des Beaux-Arts.

2/ Alexandre Roslin. *Nature morte avec le buste de Louis Gougenot*. Huile sur toile. Coll. particulière.

3/ Jean-Baptiste Pigalle. *Georges Gougenot*. Marbre. Melbourne, National Gallery.

plus repérable au moment de la dispersion du Musée des Monuments français en 1817. On en connaît l'aspect par un tableau d'Alexandre Roslin, exposé au Salon de 1769; le buste figuré sur cette toile présente une troublante ressem-blance avec un plâtre (coll. privée parisienne) identifié par Coyecque et Réau comme le buste de Jean-Louis Brô, notaire de Pigalle, sans que l'on puisse néanmoins conclure à l'identité des deux personnages.

Provenance: Monument funé-raire de l'abbé Gougenot dans l'église des Cordeliers de Paris; remis à Alexandre Lenoir le 8 Frimaire an II (28 novembre 1793); Musée des Monuments français et laissé sur place au mo-ment de la suppression du musée; envoyé au Musée de Ver-sailles le 25 mars 1834; identifié en 1896 comme une œuvre de Pigalle; transmis au Louvre en mars 1908.
Inventaire: L.P. 560.

Bibliographie: Suard, 1786, p. 292; Dezallier, 1787, p. 402; Gougenot des Mousseaux, 1855; Tarbé, 1859, p. 149; Marquet de Vasselot, 1896, p. 391; Roche-blave, 1902, p. 272; Lami, 1911, t. 2, p. 251; Rocheblave, 1919, pp. 256-258, 317; Vitry, 1922, nº 1447; Réau, 1950, pp. 112-113, cat. 54.

Exposition: Paris, 1974, nº 84.

3

Voltaire nu

Statue.
Marbre.
H. 1,50 ; L. 0,89 ; Pr. 0,77.
Sur la plinthe, inscription : «À MONSIEUR DE
VOLTAIRE, PAR LES GENS DE LETTRES, SES COMPATRIOTES
ET SES CONTEMPORAINS - 1776. »
Signé et daté à l'arrière, sur le pied de la lyre :
PIGALLE/f. 1776.

Le *Volaire nu* de Pigalle fut sans doute l'œuvre la plus décriée du XVIIIᵉ siècle ; elle a suscité, avant même d'être achevée, tant de bons mots, d'épigrammes, de sarcasmes et d'anathèmes, qu'il est parfois difficile de comprendre comment elle a pu être menée à bien et conservée intacte alors que tant d'œuvres, hautement louées au moment de leur apparition ont disparu, détruites plus sûrement encore par l'indifférence que par le vandalisme.

L'affaire pourtant se présentait au départ sous les meilleures auspices : le 17 avril 1770 un dîner chez Mme Necker réunissait « dix-sept vénérables philosophes » (pour reprendre les termes du plaisant compte rendu de la *Correspondance littéraire*) qui décidèrent d'ériger par souscription une statue à Voltaire et d'en confier l'exécution à Pigalle. Tout avait été bien entendu préparé à l'avance : Pigalle, contacté semble-t-il par l'abbé Raynal, assistait au dîner et présenta aux convives une première esquisse que l'on identifie généralement avec celle conservée au Musée d'Orléans dans la mesure où elle correspond assez exactement à la description donnée par Grimm (*Correspondance littéraire*, mai 1770) : Voltaire y est représenté nu avec sur les épaules une large draperie. Il est intéressant de noter que sur les dix-sept convives de ce repas, deux (les abbés Raynal et Morellet) furent par ailleurs les modèles de Pigalle (leurs bustes ne sont pas localisés) et qu'un troisième (Suard) fut l'auteur de la plus importante (sinon de la plus bienveillante) de ses notices nécrologiques.

L'idée de s'adresser à Pigalle pour une telle statue n'avait rien de surprenant ; déjà, six ans auparavant, au moment de la mort de Rameau, une souscription avait été ouverte pour célébrer un service solennel en l'honneur du musicien et « lui élever une statue en marbre qui sera confiée aux soins de M. Pigalle » (*Mémoires secrets*, 26 octobre 1764). L'affaire n'eut pas de suite, faute, sans doute, d'un nombre suffisant de souscriptions. Pour Voltaire au contraire, celles-ci affluèrent et l'opération fut au départ menée rondement.

1/ Jean-Baptiste Pigalle. *Voltaire nu.* Esquisse, terre-cuite. Orléans, Musée des Beaux-Arts.

Provenance : Offerte à Voltaire ; léguée (?) par lui à son petit-neveu Alexandre-François de Dompierre qui la fait installer, après 1785, dans la salle à manger en rotonde de son château d'Hornoy (Somme) puis l'offrit à l'Institut de France en 1807 ; placée d'abord dans la bibliothèque, puis dans un corridor au rez-de-chaussée ; déposée par l'Institut au Louvre en 1962 en échange du mausolée de Mazarin remis en place dans l'ancienne chapelle du Collège des Quatre-Nations.
Dépôt de l'Institut de France.

Dès le 30 mai, Pigalle partit pour Ferney et en rapporta un plâtre de la tête de Voltaire qui fut jugé beau et ressemblant. Ce buste, dont la terre cuite appartint à Denon et dont un plâtre figura, semble-t-il, au musée des Monuments français d'Alexandre Lenoir, n'est plus aujourd'hui connu que par des témoignages indirects (gravure de Hesse, réduction de Thomire); il était lauré. Mais le philosophe avait déjà manifesté la plus grande inquiétude à l'idée d'être représenté nu et ses réticences donnèrent le signal des protestations. Le modèle en grand, à peine commencé (août 1770) était déjà critiqué et le fut bien plus encore après son achèvement (août 1772). Voltaire, dans une lettre, admirable et célèbre, du 1ᵉʳ décembre 1771, avait accepté l'idée de Pigalle au nom de la liberté de l'art et de l'artiste. Au-delà des pudibonderies de Mme Necker, des plaisanteries de Gustave III de Suède (qui consentait à souscrire «pour un habit»), des attaques qui visaient le modèle bien plus que la statue, et du sentiment de répulsion qu'inspira à la quasi totalité des commentateurs l'image trop présente de ce corps décrépi, on peut s'interroger sur les sources de cet étrange malentendu.

L'unanimité des adversaires de l'œuvre n'est en fait qu'apparente. Les uns rejettent le principe même de la représentation héroïsée, à l'antique et donc de la nudité et défendent le principe de la vérité du costume (principe qui sera appliqué, à une exception près, dans la série de statues des «Français illustres» que d'Angiviller commande à partir de 1776, l'année même de l'achèvement du *Voltaire nu*). Les autres, au contraire, sont des adeptes plus ou moins ardents du retour à l'antique, mais ne conçoivent le nu qu'idéalisé, exempt de toute marque de déchéance physique, voire même de caractérisation individuelle. Le nu du *Voltaire* est pour eux l'antithèse même de ce qu'ils recherchent.

Et pourtant, Pigalle était sans doute sincèrement persuadé d'avoir la caution d'un illustre modèle antique, le *Sénèque mourant* alors dans la «Vigne Borghèse» à Rome (et à présent au Louvre) sur lequel Diderot avait sans doute attiré son attention. Le témoignage de l'abbé Morellet est en effet parfaitement explicite: «C'est à Diderot qu'il faut s'en prendre... C'est lui qui avait inspiré à Pigalle de faire une statue comme le *Sénèque se coupant les veines*. En vain, plusieurs d'entre nous se récrièrent lorsque Pigalle apporta le modèle... nous ne pûmes détourner de cette mauvaise route ni le philosophe, ni l'artiste échauffé par le philosophe.» Et Suard confirme un peu dédaigneusement le fait: Pigalle «s'autorisait, dit-on, de la prétendue statue de Sénèque dans le bain, statue qui suivant toutes les probabi-

1

1/ *Buste de Voltaire.* Gravure
d'Henri-Joseph Hesse, 1823,
d'après Pigalle.

lités ne représente pas Sénèque mais un esclave comme l'a très bien observé Winckelmann». Or Diderot s'intéressait à Sénèque (auquel il avait consacré un essai) mais jugeait «ignoble» la tête de sa figure «au bain». On comprend mieux alors le propos de Pigalle: refaire la statue de Sénèque, en se montrant aussi véridique et aussi savant dans le traitement de l'anatomie mais en lui donnant le visage d'un véritable philosophe.

Il est généralement admis que le sculpteur se servit comme modèle d'un «vieux soldat de la guerre de sept ans». Mais il semble que cette précision extrapole le témoignage de Grimm qui parle seulement de «vieux soldat». Dezallier (1787 qualifie le modèle: «le plus laid, le plus décharné et le plus dégoûtant qu'il fût possible de trouver».

Devant le mouvement de rejet toujours exprimé à propos de cette statue, on peut se demander si beaucoup de commentateurs ont vraiment eu l'occasion de l'examiner: d'abord très rapidement soustraite aux yeux du public (Mopinot ne savait pas en 1786 où elle se trouvait), puis à peine plus accessible dans les locaux de l'Institut, elle semble surtout avoir été jugée, durant les périodes les plus récentes, à travers des photographies particulièrement médiocres. Devant l'œuvre elle-même, on ne peut que noter l'admirable exécution de ce corps de vieillard, largement traité, la beauté et l'ampleur du drapé qui couvre le dos, la sobriété de la composition que les attributs peu nombreux et très simples (poignard de Thalie, masque de Melpomène, lyre et couronne du poète) n'encombrent ni ne gênent. Mais Rocheblave n'avait pas tort en écrivant que le *Voltaire* de Pigalle illustrait le mot de Bossuet selon lequel «l'âme est maîtresse du corps qui l'anime» car c'est surtout le visage tourné vers le ciel, à la fois tendu et plein d'espérance, qui retient l'attention. N'est-ce pas cette expression, qu'on n'ose qualifier de mystique, qui a le plus dérouté les contemporains, habitués, comme le soulignait déjà Grimm, aux petits bustes que les Rosset de Saint-Claude diffusaient à travers toute l'Europe et où Voltaire avait un sourire sarcastique et le visage baissé?

En 1780, après la mort de Voltaire, Houdon acheva sa statue de *Voltaire assis*: le vaste drapé intemporel qui dissimulait le corps chétif du vieillard réconciliait tout le monde avec le traitement à l'antique. Houdon avait su exploiter avec succès une voie ouverte à grand peine par Pigalle et sa statue était assez conforme à ce qu'avait souhaité Mme Necker (lettre du 15 août 1770); dans le visage aux lèvres pincées chacun put reconnaître, selon son opinion, soit l'image du plus brillant esprit du Siècle des Lumières, soit le «hideux sourire» annonciateur des bouleversements futurs. Chez Houdon nous voyons l'auteur de *Candide* et du *Dictionnaire philosophique*. Mais Pigalle a su nous montrer le défenseur de Calas et de tous les opprimés qui mourut «en adorant Dieu, en aimant ses amis, en ne haïssant point ses ennemis et en détestant la superstition».

Pigalle en tout cas ne renia jamais son œuvre; il en possédait un plomb dans son jardin, seule réplique mentionnée de cette œuvre célèbre et réprouvée.

1/ *Pêcheur africain* dit «*La mort de Sénèque*». Antique restaurée. Marbres polychromes. Louvre.

2/ Jean-Antoine Houdon. *Voltaire*. Marbre. Paris, Comédie-Française.

Bibliographie: Correspondance littéraire, avril-juin 1770; *Mémoires secrets*, 1770, 1772, 1776; Mopinot, 1786, p. 12; Suard, 1786, pp. 291, 304-305; Dezallier, 1787, pp. 398-399; Chaudon, 1789, p. 286; Manuel, 1789, p. 226; Emeric-David [1824], p. 5; Tarbé, 1859, p. 157 et suiv.; Des Noiresterres, 1875, pp. 127-131; Gonse, 1895, p. 217; d'Haussonville, 1903, pp. 352-370; Rocheblave, 1919, pp. 277-288; Vitry, 1925, p. 556; Niclausse, 1948, p. 110; Réau, 1950, pp. 60-66, cat. 19; Sauerlander, 1963; Janson, 1964, passim; Vasselle, 1969, pp. 151-152; Souchal, 1979, p. 118; Colton, 1982; Licht, 1982.

Le Chirurgien Moreau

Buste.
Terre cuite sur piédouche de marbre rouge veiné.
H. 0,550 ; L. 0,347 ; Pr. 0,279. H. du piédouche
0,145.

«Si vous voulez me faire l'honneur de venir dîner aujourd'huy mercredy, j'auray Madame et Monsieur Coustou, une famille de Lyon, Madame et Monsieur Moreau...» écrit Pigalle dans une lettre adressée le 19 juin 1776 à M. de Montucla (qui s'occupait alors du transport des marbres à Strasbourg du mausolée du maréchal de Saxe). Cette mention est un rare indice des liens amicaux qui ont pu exister entre le chirurgien-chef de l'Hôtel-Dieu et le sculpteur ; elle confirme l'attribution de ce buste non signé, mais mentionné dans l'inventaire après décès du modèle. Jean-Nicolas Moreau, sans atteindre la célébrité de l'anatomiste Antoine Ferrein, ou de Pierre Maloët, régent de la Faculté de Médecine, dont Pigalle a également fait les bustes, semble avoir été honorablement connu dans les milieux médicaux du XVIIIe siècle : «on lui devait en particulier une technique originale pour l'opération de la taille» et ses amputations de caries osseuses avaient été remarquées. Il fut annobli le 31 mai 1777 et mourut le 29 avril 1786.

On connaît deux autres portraits de ce personnage : une huile sur toile, signée Le Noir et datée de 1764 à l'Hôtel-Dieu de Paris, et surtout une gravure de Moitte d'après Cochin, ce qui nous ramène dans un milieu très proche de celui de Pigalle.

Provenance : Figure dans l'inventaire après décès du modèle (15 avril 1786). Coll. du Dr Remilly à Versailles à la fin du XIXe siècle ; acquis en vente publique (Paris, Hôtel Drouot, Salle 5) le 11 mai 1945.
Inventaire : RF 2566.

3/ *Le chirurgien Moreau.* Copie d'après Lenoir. Huile sur toile. Paris, Académie de Médecine.

3

Stylistiquement ce buste s'inscrit parfaitement dans le groupe des portraits masculins exécutés par l'artiste à la fin de sa carrière : portraits de ses amis («car il en avait et les méritait» comme écrit l'abbé Chaudon en 1789), d'une grande acuité psychologique, sans grand souci du décorum.

L'extrême simplicité du costume peut même ici surprendre et l'on peut se demander si ce n'est pas le large col sans ornement d'une blouse professionnelle que Pigalle a voulu faire apparaître dans la petite découpe de ce buste.

Le traitement de l'œil, remarquablement expressif, annonce les recherches de Houdon, tandis que le modelé ferme des chairs aux traits accusés est bien dans la manière personnelle de Pigalle.

1

1/ *Jean-Nicolas Moreau.* Gravure par P.E. Moitte.

Bibliographie : Rocheblave, 1919, p. 332 (*Necrologe*, n° 30) ; *L'Amour de l'Art*, t. 5, oct. 1945, p. 25 ; Réau, 1950, p. 114 (et note 134), cat. n° 59, p. 169.

Expositions : Versailles, 1881, n° 1273 ; Paris, 1945, n° 241 ; Paris, 1980.

Le Major Guérin

Buste.
Bronze.
H. (avec le piédouche) 0,735 ; L. 0,465 ; Pr. 0,363.

Georges-Martin Guérin, né en 1710, chirurgien major de l'armée d'Italie dès 1733, chevalier de l'ordre de Saint-Michel, chirurgien major et consultant des Camps et Armées du Roi, chirurgien major des Mousquetaires noirs et de l'Hôpital de la Charité, mourut en 1791. Sa famille avait conservé le buste qu'il avait commandé à Pigalle ; d'après l'âge apparent du modèle on peut situer l'œuvre vers 1770-1780.

Deux circonstances auraient pu justifier l'exécution de ce buste : le second mariage, tardif, du major en 1772 et l'acquisition d'un titre de « comte du palais du Latran » à une date malheureusement non précisée jusqu'ici.

Le portrait du major Guérin est en effet exceptionnel dans l'œuvre de Pigalle par sa solennité : ample par ses dimensions et sa forme, le buste est rendu plus majestueux encore par le haut piédouche orné d'un cartouche armorié. Rocheblave, repris par Réau parlait de la « correction toute militaire du personnage » qui paraît effectivement un peu raide et semble bomber le torse, peut-être pour mieux mettre en valeur le grand cordon de l'ordre de Saint-Michel qui barre sa poitrine et qu'il reçut en 1768.

Il existe un contraste certain entre cette présentation, assez pompeuse, et le constat impitoyable dont témoigne le visage profondément marqué par l'âge, énergique mais comme figé par un effort de volonté. Comme la plupart des modèles de Pigalle, le major Guérin avait été dessiné, en médaillon, par Cochin. La gravure de Ch. Gaucher qui en dérive, datée de 1771 montre le personnage sensiblement plus jeune. Ce bronze à patine noire, est de belle qualité mais diffère très sensiblement par la technique de sa reparure de celui du buste de Diderot.

2/ *G.-M. Guérin, écuyer, chevalier de l'ordre du Roi.* Gravure par C. Gaucher, d'après Charles-Nicolas Cochin.

Provenance: Acquis par le Louvre en 1893 du comte Guérin, descendant du modèle. Inventaire : RF 936.

Bibliographie: Rocheblave, 1919, pp. 265-267 ; Vitry, 1922, n° 1448 ; Réau, 1950, p. 114 et cat. n° 56.

Expositions: New York, 1935-1936, n° 76 ; Paris, 1980.

Denis Diderot

Buste.
Bronze, piédouche en marbre bleu turquin.
H. 0,522 ; L. 0,345 ; Pr. 0,255.
H. du piédouche 0,11.
Au revers inscription : « En 1777 Diderot par Pigalle, son compère, tous deux âgés, de 63 ans. »

Les rapports entre Diderot et Pigalle furent étroits mais restent difficiles à préciser. L'écrivain admirait le sculpteur, mais d'une admiration exigeante ; comme Pigalle avait cessé d'exposer au Salon lorsque Diderot commença en 1759 à rédiger ses comptes rendus pour la *Correspondance littéraire*, on chercherait en vain dans ces textes célèbres une critique en bonne et due forme d'une œuvre précise du sculpteur. Pourtant le nom de celui que Diderot considère comme « un des deux premiers sculpteurs de la Nation » (l'autre étant Bouchardon), revient souvent sous sa plume. Il estime l'homme, tout « bourru » qu'il soit ; il admire l'artiste acharné au travail et le donne en exemple. Pigalle de son côté qui paraît avoir eu grande confiance en Diderot, lui demanda son aide pour le problème épineux de l'inscription du monument de Reims et semble avoir suivi à diverses reprises ses conseils ; il ignorait sans aucun doute certains jugement sévères de Diderot (en particulier sur le monument de Reims et sur le *Mausolée du Comte d'Harcourt*) disséminés dans des écrits réservés à une diffusion restreinte.

Par sa présentation, son style et l'inscription qu'il porte (fautive d'ailleurs puisqu'en 1777 Diderot avait soixante-quatre ans), le buste du philosophe est un véritable « portrait d'amitié ». Encore ne faut-il pas se méprendre dans l'interprétation de l'inscription sur la signification du mot compère : Pigalle était le parrain de la petite-fille de Diderot, Marianne (dite Minette) de Vandeul ; il pouvait donc se dire, son compère presque au sens strict du terme.

Le négligé de la tenue est dans la tradition des portraits d'artiste ; mais Pigalle accorde moins d'importance au drapé du col de la chemise ouverte, souvent traité dans ce type de buste comme un morceau de bravoure, qu'au revers de la pelisse, détaillée de façon presque illusionniste. Le visage est marqué, creusé et flasque à la fois ; chaque ride autour des yeux a été précisément située comme pour mieux souligner la lourdeur du regard fatigué. Dans l'iconographie relativement riche de Diderot, le buste de Pigalle occupe une

1

1/ Inscription au revers du bronze du Louvre.

2/ Louis-Michel Van Loo. *Diderot.* Pierre noire avec rehauts de blanc. Louvre. Cabinet des Dessins.

Provenance : Demeuré chez les descendants de Mme de Vandeul, fille de Diderot jusqu'à sa donation au Louvre. Don Albert Caroillon de Vandeul, en 1905.
Inventaire : RF 1396.

2

place à part; très différent de celui, fin et délicat, de Marie-Anne Collot dont l'original semble perdu, mais on connaît des exemplaires en biscuit, ou de celui, plein de feu, présenté par Houdon au Salon de 1771, il est encore plus éloigné de la brillante improvisation de Fragonard ou du portrait embelli de Louis-Michel Van Loo; il est déjà plus proche d'un dessin préparatoire de ce dernier artiste (Louvre), mais les dix années qui séparent ces deux images ont durement touché le philosophe: revenu malade de Hollande (et il ne serait pas impossible de déceler dans le buste la notation de certains symptômes pathologiques), Diderot écrit de lui-même: «Les dents chancellent, les yeux me refusent le service, de nuit, et les jambes sont devenues bien paresseuses... Cependant je suis gai.» (Lettre du 14 octobre 1776, à Grimm). Car curieusement le buste a été exécuté à un moment où Diderot est agité de sentiments contradictoires: il sait qu'il ne pourra réaliser la nouvelle édition de *l'Encyclopédie* qu'il avait espérée et pour laquelle l'aide de Catherine II lui fait défaut; par ailleurs, l'accession de Necker au ministère ranime son espoir dans les possibilités de réformes que ni Malesherbes ni Turgot n'ont pu accomplir.

C'est un peu tout cela que reflète le buste de Pigalle, si empreint de lassitude mais dans lequel est si bien mis en valeur le beau profil de médaille, qui avait inspiré à Greuze un de ses plus célèbres dessins.

Faut-il rattacher aux séances de pose pour ce buste l'anecdote rapportée par Diderot lui-même dans une lettre du 13 décembre 1776?: «Je mourrai vieil enfant. Il y a quelques jours je me suis fendu le front chez Pigalle contre un bloc de marbre. Ma petite-fille qui a trois ans et qui me vit une énorme bosse à la tête me dit: Ah, ah! grand-papa, tu te cognes donc aussi le nez contre les portes? — Je ris et je pensai en moi-même que je n'avais pas fait autre chose depuis que j'étais au monde.»

Bibliographie: Dezallier, 1787, p. 402; Tarbé, pp. 238-239; Michel, 1906, p. 413; Vitry, 1922, p. 1449; Réau, 1964, p. 354, cat. n° 50.

Expositions: Munich, 1958, n° 487; Paris, 1963, n° 534 bis; Paris, 1974-1975, n° 427; Bordeaux, 1980, n° 214; Vienne, 1966, n° 271.

1/ Jean-Baptiste Greuze. *Diderot.* Pierre noire avec rehauts de craie blanche. New York, The Pierpont Morgan Library.

2/ Jean Antoine Houdon. *Diderot.* Terre-cuite, 1771. Louvre.

1 2

Autoportrait

Buste.
Terre cuite sur piédouche de marbre.
H. totale 0,552 (H. piédouche 0,107) ; L. 0,270.

Par un curieux concours de circonstances l'*Autoportrait* de Pigalle est demeuré longtemps une œuvre méconnue. L'exemplaire en plâtre conservé au temple Saint-Thomas de Strasbourg ne fut certes jamais totalement oublié ; au milieu du XIXᵉ siècle, le sacristain ne manquait pas de le montrer aux visiteurs du mausolée du maréchal de Saxe. Ainsi Victor Hugo après avoir sévèrement jugé le monument, cette «chose fort célèbre, fort vantée et fort médiocre» (*Le Rhin*, lettre XXX), ajoute : «On vous ouvre une armoire dans laquelle il y a une tête à perruque en plâtre : c'est le buste de Pigalle. Heureusement il y a autre chose à voir à Saint-Thomas...». Sans doute est-ce le même sacristain qui, vers 1861, avait renseigné l'architecte Salomon, dont Rocheblave put invoquer le témoignage lorsque, non sans hésitation, il publia ce plâtre en 1902 comme l'autoportrait de Pigalle. Il émit aussi l'hypothèse que Pigalle avait offert cette œuvre à Saint-Thomas en remerciement de l'octroi du titre de «Citoyen de la ville de Strasbourg» ou que c'était un cadeau fait à Brachenhoffer, chanoine de Saint-Thomas. D'où une datation relativement précoce pour cet autoportrait : 1776-1777.

L'origine de la terre cuite du Louvre est encore plus mystérieuse : elle apparaît à Meudon peu après la Seconde Guerre mondiale en possession d'une très modeste famille qui croyait y reconnaître un portrait de Jean-Jacques Rousseau et n'y attachait, semble-t-il, aucune valeur. Son identification comme *Autoportrait* de Pigalle po-

Provenance : Propriété privée à Meudon ; donné avant 1948 à R. Grunewald comme un portrait de Jean-Jacques Rousseau. Acquis par le Louvre en 1949. Inventaire : RF 2670.

sait d'emblée le problème de ses rapports avec le plâtre de Strasbourg. Réau, se fiant peut-être surtout à la comparaison entre divers documents photographiques, a affirmé que la terre cuite était une œuvre distincte et plus tardive que le plâtre : le visage du sculpteur lui paraissait vieilli, plus marqué par la maladie et la lassitude. Il n'est pas sans exemple qu'un sculpteur exécute, à quelques années de distance, deux portraits semblables par leur présentation et leur attitude mais en variant quelque accessoire et surtout en notant les effets du passage du temps sur le visage : ainsi les deux bustes de *Camille Falconet* par Maurice-Etienne Falconet, et plusieurs cas, un peu problématiques il est vrai, dans l'œuvre de Pajou, paraissent attester la réalité de cette pratique. Même si la confrontation directe des deux pièces, jamais tentée jusqu'ici, pouvait seule résoudre définitivement le problème, on doit cependant noter que les dimensions plus réduites de la terre cuite (visage, hauteur 0,200 contre 0,218 pour le plâtre) et les traits plus accusés s'expliqueraient fort bien si le creux du plâtre avait été pris sur la terre modelée, avant que la cuisson n'entraînât un retrait général du matériau. Il faut ajouter que le plâtre n'a pas été sans souffrir quelque peu, lors de son séjour dans les placards du temple Saint-Thomas, et qu'il fut restauré (au nez, aux arcades sourcillières, aux oreilles) et sans doute badigeonné par le sculpteur strasbourgeois Dock (mort en 1890).

C'est pourquoi il n'est pas nécessaire d'imaginer deux versions successives de l'*Autoportrait*, séparées par huit ou dix ans d'écart. Peut-être est-ce après 1777, date du buste de Diderot, que l'on pourrait placer ce buste rapproché à juste titre de celui de Desfrisches du Musée d'Orléans pour la technique mais qui paraît surtout singulièrement apparenté dans le modelé du visage au buste du *Major Guérin* (cf. notice p. 77). Le contraste est évidemment total avec le portrait officiel dû à Mme Roslin, sans aucun doute antérieur de quelques années (1770), et qui représentait Pigalle

dans son costume officiel de vice-chancelier de l'Académie. La tenue négligée est certes de tradition pour les bustes d'artistes, mais on note dans l'*Autoportrait* une absence totale d'emphase ou d'héroïsation.

Les autoportraits de sculpteurs sont extrêmement rares ; le témoignage de Pigalle n'en est que plus précieux : il a voulu être à l'égard de sa propre image aussi objectif qu'il l'avait été vis-à-vis de ses modèles. Le regard est déporté vers le côté gauche, ce qui correspond à la position du sculpteur qui s'observe dans un miroir placé à sa droite ; le traitement en volume du buste permet cependant d'échapper à l'échange obligatoire de regard entre l'artiste et le spectateur, inévitable dans l'autoportrait peint.

Il est à noter enfin qu'au moment de l'acquisition du buste par le Louvre, une copie fut exécutée pour les anciens propriétaires par Mlle Gendron, sculpteur. Sa localisation actuelle n'est pas connue.

1

1/ Jean-Baptiste Pigalle. *Autoportrait*. Plâtre. Strasbourg, temple Saint-Thomas.

Bibliographie : Aubert, 1950, pp. 41-42 ; Réau, 1950, pp. 31-119 et cat. n° 63 ; Bresc-Bautier, 1980, n° 51. Pour le plâtre de Strasbourg ; Rocheblave, p. 275 ; Rocheblave, 1919, pp. 272-273.

Expositions : Paris, 1950, n° 56 ; Paris, 1957, n° 104 ; Paris, 1967-1968, n° 309 ; Paris, 1984, n° 8.

2   3

2/ Jean-Baptiste Pigalle. *Le Citoyen*. Bronze. Reims, place Royale (détail).

3/ *Jean-Baptiste Pigalle*. Gravure par Augustin de Saint-Aubin, d'après Charles-Nicolas Cochin.

83

Jean-Baptiste Pigalle?

Projet
pour un tombeau

Esquisse.
Terre cuite.
H. 0,31 ; L. 0,355 ; 0,25.

Ce projet de tombeau, remarqué semble-t-il par Paul Vitry dans la collection Richelot, fut exposé en 1937 avec les «Chefs-d'Œuvre de l'Art français», comme un projet pour le *Mausolée du Comte d'Harcourt*. Cette identification avait été suggérée par l'attribution, sans doute ancienne, de cette esquisse à Pigalle et semblait confortée par une réelle parenté, sinon dans la composition, du moins dans le thème principal, entre ce projet

et le monument que l'on peut voir encore aujourd'hui à Notre-Dame de Paris. L'histoire du *Mausolée du Comte d'Harcourt* est connue avec une relative précision grâce au contrat passé entre la comtesse et le sculpteur, par acte notarié du 1er juillet 1771, et à divers documents qui furent compris dans le sequestre de la famille d'Harcourt sous la Révolution. On sait en particulier que le sculpteur devait traiter le thème de la «réunion conjugale» et une tradition assez bien établie veut que le programme ait été fixé par la veuve elle-même, à partir d'un songe qui lui avait montré son défunt mari, l'appelant à elle sans qu'elle puisse encore le rejoindre. Pour exprimer cette pensée

Provenance: Vente anonyme, Paris, 24 mai 1870, n° 32 (?); acquis en 1905 par le docteur Richelot et tranmis par lui à ses héritiers. Acquis en vente publique (22 novembre 1971). Inventaire: RF 2980.

Pigalle a représenté le comte d'Harcourt qui, tel un cadavre revenu à la vie pour quelques instants, émerge d'un sarcophage, la comtesse, pleurant et les mains jointes, qui marche vers lui pour le rejoindre, la Mort qui lui indique que son heure n'est pas encore venue et enfin l'ange tutélaire du comte qui, tristement, s'apprête à refermer le tombeau tout en éloignant un flambeau (de la vie ? ou de l'hymen ?). Cette composition, blâmée par les critiques contemporains qui n'admirèrent que le détail de l'exécution, se détache sur le mur oriental de la chapelle Saint-Pierre et Saint-Etienne, dans la partie sud du déambulatoire de la cathédrale.

Le projet du Louvre est sensiblement différent de cet ensemble. On y retrouve le motif de la « réunion conjugale », avec le défunt à demi dressé dans son linceul et la femme qui tente de le rejoindre, mais la Mort est absente, tandis que la Religion et trois enfants

viennent s'ajouter à la composition. De plus le tombeau, plus riche d'ornements que celui du comte d'Harcourt, comme le montrent les sphynges qui soutiennent le sarcophage, est conçu pour être un monument totalement isolé.

Il est certain qu'avant de passer avec Pigalle le contrat déjà cité, la comtesse fit faire à celui-ci un certain nombre de projets ; Dezallier d'Argenville précise même qu'elle en refusa plusieurs qui ne lui semblaient point assez tristes ; il semble qu'elle

1/ Jean-Baptiste Pigalle. *Mausolée du comte d'Harcourt.* Marbre. Paris, Notre-Dame.

songea aussi à s'adresser à Berruer puisque ce sculpteur exposa au Salon de 1771 un projet de *Monument pour le comte d'Harcourt*. Mais à aucun moment, dans les négociations menées avec le chapitre de Notre-Dame de Paris pour obtenir l'autorisation d'ériger le mausolée, il ne fut question d'un monument isolé. On s'explique encore plus mal la présence de jeunes enfants dans la composition, dans la mesure où le comte et la comtesse d'Harcourt n'avaient pas eu de descendance.

Il est en revanche très tentant de rapprocher la terre cuite du Louvre d'une des commandes funéraires les plus importantes du règne de Louis XV : le *Mausolée du Dauphin* à la cathédrale de Sens. On sait que le seul fils du Roi mourut le 20 décembre 1765, après avoir mené une vie assez obscure, et que Marigny, chargé par le Roi de lui faire ériger un tombeau, et en peine d'en fixer le programme, s'adressa à Cochin qui fit appel à Diderot. Dans une lettre du 3 février 1766 à Sophie Volland, celui-ci lui annonça la nouvelle et lui expliqua les programmes qu'il avait déjà conçus et envoyés à Cochin ; il ajoutait qu'il en méditait un quatrième. *La Correspondance littéraire* du 15 avril 1766 fait état finalement de cinq projets et en présentant le dernier, Diderot écrit : « Voici ce que j'appelle mon monument, parce que c'est un tableau du plus grand pathétique, et non le leur, parce qu'ils n'ont pas le goût qu'il faut pour le préférer. Au haut du mausolée je suppose un tombeau creux ou cénotaphe, d'où l'on n'aperçoit guère, d'en bas, que le sommet de la tête d'une grande figure couverte d'un linceul, avec un grand bras tout nu qui s'échappe de dessous le linceul et qui pend en dehors du cénotaphe... L'épouse a déjà franchi les premiers degrés qui conduisent en haut du cénotaphe et elle est prête à saisir ce bras. La Religion l'arrête en lui montrant le ciel du doigt. Un des enfants s'est saisi des pans de sa robe et pousse des cris. L'épouse la tête tournée vers le ciel, éplorée ne sait si elle ira à son époux qui lui tend les bras, ou si elle obéira à la Religion qui lui parle, et cédera aux cris de son fils qui la retient. »

On sait que, dès la fin de 1766, Guillaume II Coustou reçut la commande du tombeau et s'inspira assez directement du « quatrième projet » de Diderot, composition ordonnée autour de deux urnes, qui avait la préférence de Cochin. Mais Diderot persistait à juger son cinquième projet particulièrement réussi : au témoignage de Suard (30 mars 1773) il « avait donné à un statuaire l'idée d'un tombeau pour le Dauphin ; ce statuaire n'avait pas adopté cette idée. Diderot fait venir chez lui un jeune sculpteur, avec de la terre et des outils, et lui fait exécuter son plan sous ses yeux. Le voici : on voit un grand tombeau à l'antique au fond duquel se lève, presque en pied, le Dauphin ; avec l'air d'un mourant, il tend la main à la Dauphine qui est en bas, à un des coins du cénotaphe. Elle s'élance vers le tombeau et saisit le bras décharné de son mari, mais elle est arrêtée par trois enfants qui l'entourent et la retiennent en l'embrassant. Un quatrième enfant va se jeter dans les bras de la Religion, représentée par une femme debout, à l'autre coin du tombeau. Cette idée me paraît simple, ingénieuse et touchante ; l'allégorie en est surtout aisée à saisir. »

On voit que cette description correspond, dans l'ensemble, assez exactement à la terre cuite du Louvre. Quel peut être cependant ce jeune sculpteur que Diderot a fait travailler sous ses yeux ? Il faut sans doute écarter Houdon revenu de Rome en 1768, agréé à l'Académie l'année suivante, et déjà assez connu. On pourrait en revanche songer à Millot candidat malheureux au concours de 1768, victime semble-t-il d'une injustice dont Diderot s'est fait l'écho. Mais on pourrait aussi avancer le nom de Laurent Guiard, dont Diderot écrivait en mai 1768 : « C'est une tête chaude et rustique. Je l'aime. Il m'a semblé qu'il avait l'âme fière et haute. » Le style des esquisses de cet artiste n'est pas incompatible avec une telle attribution.

On ne peut cependant totalement exclure que la terre cuite du Louvre soit de la main de Pigalle. Quelques différences entre cette œuvre et la description de Suard (la Religion assise et non debout ; le Dauphin assis et non pas « presque en pied » ; la présence de deux enfants, au lieu de trois, au côté de la Dauphine ; le génie de l'Hymen au revers du tombeau) s'expliqueraient mieux si ce projet était dû à un autre sculpteur que celui auquel fit appel Diderot. Or une tradition familiale, rapportée très en détail par Tarbé (qui en tirait d'ailleurs des conclusions inexactes), associait le nom de Pigalle à celui de Coustou pour l'exécution du *Mausolée du Dauphin* ; lorsque Guillaume II Coustou fut informé, le 13 mars 1769, que les marbres nécessaires à l'exécution du tombeau étaient à sa disposition, il dut aller chercher l'un des blocs chez Pigalle qui a donc été mêlé à l'histoire de ce tombeau.

Cependant on ne peut exclure l'hypothèse qu'en 1766 Pigalle, pressenti par Cochin et Marigny, ou de son propre chef, ait fourni un projet pour le mausolée du Dauphin et que des cinq « programmes » fournis par Diderot il ait choisi le plus dramatique alors que Guillaume II Coustou, plus sage, s'inspirait du quatrième projet, si proche déjà des conceptions néo-classiques.

La technique d'exécution de cette esquisse, large, simple et rapide peut aussi bien être rapprochée de celle des esquisses de Pigalle (et en particulier de celle du *Voltaire nu* du Musée d'Orléans) qu'interprétée comme la marque d'un jeune artiste plus apte à de brillantes improvisations qu'au patient achèvement d'une œuvre définitive.

1/ Guillaume II Coustou. *Mausolée du Dauphin*. Marbre. Sens, cathédrale.

2/ Jean-Antoine Houdon. *Tombeau du prince Galitzine*. Esquisse, terre-cuite. Louvre.

3/ Laurent Guiard. *Enée et Anchise*. Esquisse, terre-cuite. Louvre.

Bibliographie : Réau, 1950, p. 143 (n.120).
Sur le tombeau d'Harcourt : Suard, 1786, p. 291 ; Dezallier, 1787, p. 401 ; Tarbé, 1859, pp. 236-237 ; Rocheblave, 1919, pp. 241-252 ; Cahen, 1911, pp. 204-208 ; Réau, 1950, pp. 99-103 ; Licht, 1980-81, p. 97.
Sur le tombeau du Dauphin : Diderot *Œuvres* (éd. Lewinter) t. 6, pp. 320, 440 ; Rocheblave, 1919, pp. XI, 78, 344 ; Tarbé, 1859, pp. 151-153 ; Jacquillat, 1939, pp. 27, 29 ; Réau, 1950, p. 84.

3

Expositions : Paris, 1937, n° 1071 ; Paris, 1974-1975, n° 85.

D'après Pigalle

Vénus

Statue.
Pierre de Tonnerre.
H. 1,52 ; L. 0,80 ; Pr. 0,70.
Signée : **J. B. Pigalle, 1750.**

La composition est identique à celle de la petite *Vénus* de terre cuite (Inv. O. A. 1980, cf. *supra* notice 3) et correspondrait donc à la première version de la *Vénus confiant un message à Mercure* telle qu'elle fut exposée au Salon de 1742. Mais la sécheresse de l'exécution et l'expression du visage paraissent plutôt indiquer qu'il s'agit d'une copie du xixᵉ siècle, contemporaine du socle de «style Louis XVI» sur laquelle elle était placée lors de son entrée au Louvre.

Provenance : Coll. Desmarais ; coll. Gouvert vers 1930 ; acquise en 1952.
Inventaire : RF 2719.

Bibliographie : Charageat, 1953.

Exposition : Paris, 1974-1975, n° 83.

La Fillette
à la pomme et
à l'oiseau

Statuette.
Bronze.
H. 0,450 ; L. 0,312.
Signée sur la terrasse droite : «**PIGALLE. F. 1784**».

Provenance : Affectées au Musée
du Louvre par la Commission de
récupération des œuvres d'art
spoliées par les nazis. Inventaire :
RFR 63 et 64.

L'Enfant à la cage

Statuette.
Bronze.
H. 0,500 ; L. 0,302 ; Pr. 0,341.
Signée sur la terrasse à gauche : «**PIGALLE. F.
1749**».

Sur les marbres qui ont servi de modèles, cf.
supra notices pp. 48 à 55. Il est possible que ces
deux fontes aient été éxécutées dans les ateliers de
Thomire vers 1823.

Buste
de jeune femme
(dite
Madame de
Pompadour)

Marbre.
H. 0,70 (piédouche H. 0,11) ; L. 0,46.
Signé au revers : «**Fait par J.B. Pigalle sculpteur du Roy, 1759**».

Malgré la présence d'une signature (dont le graphisme paraît d'ailleurs suspect) il paraît difficile de maintenir ce buste mutilé dans le *corpus* des œuvres authentiques de Pigalle.

Il faut en premier lieu écarter l'idée qu'il puisse s'agir d'un portrait de Mme de Pompadour. La comparaison avec le buste de la marquise achevé par Pigalle en 1751 (New York Metropolitan Museum), montre à l'évidence qu'il ne s'agit pas de la même femme. Le buste des collections du Louvre présente, il est vrai, une ressemblance marquée avec le visage de *l'Amitié* dans le groupe de *l'Amour et l'Amitié* mais ce visage n'est point celui de Mme de Pompadour. Curieusement, alors que le buste de New York est une œuvre unique, on connaît diverses versions de celui de Paris : un marbre a été signalé en 1933 chez l'antiquaire Mougin, une terre cuite, en 1978, dans le commerce d'art new-yorkais ; tout récemment encore deux «études» en terre cuite pour la tête seule sans le drapé, circulaient dans le commerce d'art parisien, l'une datée de 1751, l'autre de 1752 ; dans une vente parisienne du 7 décembre 1981 (nouveau Drouot, salles 5-6, n° 64) figurait une autre étude en terre cuite (ou plutôt en plâtre teinté), signée et datée 1757 (et non 1751 comme il était indiqué au catalogue). Cette dernière pièce était dite n'avoir «jamais quitté la famille du sculpteur jusqu'à ce jour» ; si cette provenance était vérifiable et surtout significative (la famille d'un artiste illustre peut racheter tardivement une œuvre, vraie ou supposée, de son glorieux ancêtre) il faudrait y reconnaître une épreuve d'atelier d'après une étude pour le visage de *l'Amitié* dans le groupe de *l'Amour et l'Amitié*. La date, plus plausible que celle des autres exemplaires, ne s'y opposerait pas ; ce serait alors d'après une épreuve identique qu'aurait été exécuté le marbre du Louvre, agrémenté d'une draperie, assez habilement jetée mais qui n'a rien à voir avec le style de Pigalle et paraît plus proche de celui de Pajou. Un tel «pasticcio» plaiderait plutôt en faveur d'une date tardive et il n'est pas exclu que le même faussaire ait signé d'autres bustes de jeunes femmes, de facture d'ailleurs assez agréable, du nom emprunté de Pigalle.

Provenance : attribué au Musée du Louvre par la Commission de récupération des œuvres d'art spoliées par les nazis.
Inventaire : RFR 53.

Bibliographie : Beaulieu, 1956.

Chronologie
de la vie et de l'œuvre
de Pigalle

1714, 26 janvier: Naissance de Jean-Baptiste Pigalle, d'un père menuisier, rue Neuve-Saint-Martin.

1735: Jean-Baptiste Pigalle quitte l'atelier de Robert Le Lorrain (appelé à Strasbourg) pour celui de Jean-Baptiste Lemoyne. Première œuvre connue (*Tête de Triton,* Musée de Berlin-Dahlem). Echec au concours pour le prix de Rome; il fera le voyage d'Italie à ses frais, et grâce à une permission accordée par le duc d'Antin, pourra travailler à l'Académie de France.

1739, janvier: Lauréat concours à l'Académie de Saint-Luc à Rome avec un bas-relief, *Suzanne et les deux vieillards* (disparu).

1739, (fin): Retour en France, via Lyon où il œuvra notamment pour les Chartreux; dès 1741 à Paris.

1741, 4 novembre: Agréé à l'Académie avec *Mercure attachant ses talonnières* (peut-être la terre cuite du Metropolitan Museum de New York).

1742: ● Salon: *Mercure* et *Vénus* (plâtre). ● Commande pour le parc de Choisy du *Vase avec les attributs de l'Automne* (New York, Metropolitan Museum).

1743 (?): Tombeau du cœur du prince de Rohan-Soubise dans l'église de la Sorbonne (disparu).

1744, 30 juillet: Reçu à l'Académie, *Mercure* en marbre (RF 1957).

1745: Salon ● «Tête en plâtre de la statue du Mercure que l'auteur a exécuté en marbre, de 7 pieds de proportion, pour le Roy.» ● Christ en Croix (plâtre) pour le comte d'Argenson, destiné au couvent de la Madeleine-du-Traisnel (disparu). ● Vierge et l'Enfant (plâtre) pour l'église des Invalides. ● Portrait de Mme Boizot, terre cuite (disparu).

1745, 30 octobre: Pigalle adjoint à professeur à l'Académie.

1746, 25 février: Logé au Louvre et pensionné par le Roi.

1746?: Bas-relief - enfants malades — pour le portail de l'église de l'hospice des Enfants-Trouvés (disparu).

1747: Salon. «Modèle en plâtre représentant Vénus, de 6 pieds de proportion, qui fait pendant» au Mercure.

1747?: ● Commande du bas-relief — Angelots portant les instruments de la Passion — du portail de l'église Saint-Louis du Louvre (détruit). ● Sculptures décoratives pour Choisy.

1748: *Mercure* et *Vénus* en marbre visibles dans l'atelier de l'artiste; indication dans le livret du Salon: «destinées pour le Roy de Prusse» (Berlin-Est, Bodemuseum). ● Salon: *Vierge et l'Enfant* des Invalides en marbre (Paris, église Saint-Eustache). ● Buste de *Georges Gougenot* (Melbourne, National Gallery). ● Commande du buste de Mme de Pompadour.

1750: ● Commande de l'*Amitié* (destinée à Bellevue) et d'un *Louis XV* pédestre pour le comte d'Argenson (destiné à son château de Neuilly). ● Vers la même date (?) le *Silence* et la *Fidélité* pour la même destination. ● Salon: *Enfant à la cage* (marbre, RF 654). Portrait de l'architecte *Garnier d'Isle* (buste en marbre, coll. part.). Portrait en plâtre (non identifié). ● Buste de *Bernard Sorbet* (marbre, signé et daté, coll. part.). ● Pigalle reprend au Louvre le logement de M. Quentin de La Tour.

1751: ● Salon. modèle en plâtre de l'*Education de l'Amour* (commandé pour le château de la Muette, le marbre ne fut jamais exécuté. ● Modèle en plâtre de la *Tête du Roi* (pour la statue du comte d'Argenson ou pour celle de Bellevue). ● Buste de *Mme de Pompadour* (New York, Metropolitan museum).

1752: Sculptures décoratives pour Crécy.

1752: 27 mai: Nommé professeur à l'Académie.

1753: ● Salon. *Christ en Croix* en marbre pour les appartements du Dauphin à Versailles (disparu, connu par le plâtre conservé au musée d'Abbeville). Pigalle n'exposera plus au Salon à partir de cette date. ● Achèvement du marbre de l'*Amitié* (RF 3026). ● Commande du Mausolée du maréchal de Saxe.

1754: Commande de l'*Amour embrassant l'Amitié*, pour Mme de Pompadour, et de la *Vierge et l'Enfant* de Saint-Sulpice. ● (?) Bénitiers (Paris, église Saint-Sulpice).

1754: La statue pédestre de Louis XV à Bellevue est achevée (détruite).

1755: Commande du monument de Reims.

1756: Le modèle du mausolée du maréchal de Saxe est achevé et visible dans son atelier.

1756, 2 juin: achat de deux terrains dans le nouveau quartier des Porcherons, limité par les rues Blanche (nos 10-12) et Royale (actuelle rue Pigalle), soit un peu moins de 5 000 m^2 de surface propre à bâtir.

1756, octobre : demande à être dispensé de son service à l'Académie.

1757 : ● Buste de l'*Amour* (terre cuite, signée et datée, musée de Cluny). ● Salon : Greuze, portrait de *Pigalle* (disparu).

1758 : ● l'*Amour embrassant l'Amitié* achevé (RF 297). ● Bas-relief de la *Chasse aux lapins* pour le château royal de Saint-Hubert (disparu).

1759 : Membre de l'Académie de Rouen (succède à Paul-Ambroise Slodtz).

1760 : ● *Enfant Jésus* en bronze (?). ● Projet pour un monument à Jeanne d'Arc à Orléans

1760 (?) : Bustes de *Desfriches* et du *Nègre Paul* (musée d'Orléans).

1761 : Modèles du monument de Reims terminés.

1761 (?) : Commande d'une statue de *saint Augustin* (pour l'actuelle église Notre-Dame des Victoires, disparu) et d'un haut-relief, l'*Apothéose de saint Maur* (pour l'église Saint-Germain-des-Prés, disparu).

1762, mai : Grave maladie de Pigalle. Il est chargé d'achever le piédestal du monument royal de Bouchardon (Paris, place Louis XV, détruit sous la Révolution).

1763 (?) : Buste du chirurgien *Moreau* (RF 2566).

1764 : Mention dans une lettre de Pigalle d'un buste de *Bertin*.

1765 : ● *Enfant nu assis sur un coussin* (terre cuite signée et datée) (?). ● Achèvement du Monument de Reims.

1766 : Départ de Falconet pour la Russie ; la nouvelle direction de Sèvres va s'adresser à Pigalle pour reproduire certaines de ses œuvres en biscuit.

1767, 24 septembre : Mort de l'abbé Louis Gougenot dont Pigalle fera le tombeau dans l'église des Cordeliers (le médaillon, LP 560, est seul conservé).

1768 : Projet pour le tombeau de Pâris de Montmartel, mort en 1766 (le tombeau dans l'église de Brunoy fut détruit presque entièrement sous la Révolution).

1769, 8 mai : Reçoit le cordon de Saint-Michel qui l'anoblit.

1770 : ● Commande du mausolée du maréchal comte d'Harcourt. ● Commande du *Voltaire* nu.

1770, 7 juillet : ● Adjoint à recteur de l'Académie. ● Mme Roslin, portrait de *Pigalle*, pastel (comme morceau de réception), Louvre, Cabinet des Dessins.

1771 : ● Projet de décor pour la promenade du Peyrou à Montpellier (groupes d'Hommes illustres). ● Buste d'*Antoine Ferrein* (marbre, Paris, Ecole de Médecine).

1771, 17 janvier : Mariage de Pigalle (déclare son père entrepreneur des Bâtiments du Roi).

1772 : ● *Junon* (bronze signé et daté, disparu). ● Fin des travaux du monument royal de la place Louis XV. ● Achèvement du modèle du *Voltaire* nu.

1774 : l'*Abondance* (Paris, coll. part.) pour la galerie de l'hôtel de l'abbé Terray.

1775 : Mise en place du mausolée du maréchal comte d'Harcourt (Paris, Notre-Dame).

1775 (?) : Buste du *Major Guérin* (RF 936).

1776 : ● Mise en place du mausolée du maréchal de Saxe à Strasbourg, temple Saint-Thomas. ● Voyage en Allemagne : Berlin, Postdam, Dresde. ● Achèvement du *Voltaire nu* en marbre (Louvre). ● Mise en place de la *Vierge et l'Enfant*, avec une Gloire et des statues secondaires de Mouchy et Jean-Pierre Pigalle (Paris, église Saint-Sulpice).

1777 : Reprise des projets pour la promenade du Peyrou, Montpellier. Buste de *Diderot* (RF 1396).

1777, 26 juillet : Achat de l'immeuble n° 12, rue de La Rochefoucauld (ancienne rue de La-Tour-des-Dames) : Pigalle ne déménagera qu'en 1782 après expiration du bail du dernier locataire.

1777 (?) (après) : *Autoportrait* (RF 2670).

1782 : Son portrait en médaillon dessiné par Cochin et gravé par Augustin de Saint-Aubin.

1783 (?) (après) : *Buste de Mme Clicquot-Blervache* (bronze, coll. part.).

1784 : L'*Enfant à l'oiseau* (RF 1511).

1785, 8 janvier : Pigalle chancelier de l'Académie.

1785 : ● *Jeune fille à l'épine* (marbre, musée Jacquemard-André). ● Buste de l'ingénieur *Perronet* (coll. part.).

1785, 21 août : Mort de Pigalle ; il est inhumé le lendemain dans sa paroisse de Saint-Pierre-de-Montmartre.

Bibliographie des ouvrages cités en abrégé

1/ Jean-Baptiste Pigalle. *Le Nègre Paul*. Terre-cuite. Orléans, Musée des Beaux-Arts.

Arizzoli-Clémentel, 1972 Arrizoli-Clémentel (Pierre, «Turenne, Nouveaux documents» - *Revue de la Société des Amis du Musée de l'Armée*, 1972 (supplément, pp. 35-41).

Arnason, 1975 Arnason (H.-H.), *The Sculptures of Houdon*, Londres (Phaidon), 1975, in-4°, p. 294.

Aubert, 1950 Aubert (Marcel), «Au département des sculptures: un buste de Pigalle, par lui-même» — *Bulletin des Musées de France*, mars 1950, pp. 41-42.

Bachaumont Bachaumont, cf. Mémoires secrets.

Baker, 1983 Baker (Malcom), «European Sculptures over Three Centuries» - *Apollo*, 1983, n° 262, pp. 471-475.

Beaulieu, 1956 Beaulieu (Michèle), «Un buste inconnu de Madame de Pompadour par Pigalle» - *Revue des Arts*, 1956, pp. 109-110.

Beaulieu, 1982 Beaulieu (Michèle), *Robert Le Lorrain* (1666-1743), Paris (Arthena), 1982, in-4°, p. 148.

Beyer, 1977 Beyer (Victor), «La place Royale de Reims et le monument de Pigalle» - *Congrès archéologique de France, Champagne*, 135e session, 1977 (1980), pp. 162-168.

Biver, 1933 Biver (P.), Histoire du château de Bellevue, Paris, 1933.

Blanc, 1857-1858 Blanc (Charles), *Le trésor de la curiosité, tiré des catalogues de vente... avec diverses notes et notices historiques*, Paris (Veuve Renouard), 1857-1858, 2 vol, in-8°.

Bourgeois, 1909 Bourgeois (Emile), *Le biscuit de Sèvres au XVIIIe siècle*, Paris (Mauzy, Joyant et Cie), 1909, 2 vol. en f°.

Boyer, 1945 Boyer (Fernand), «Pigalle et Régnault à Rome» - *Bulletin de la Société d'Histoire de l'Art français*, 1945, p. 16.

Boyer, 1955 Boyer (Fernand), «Les artistes français lauréats de l'Académie romaine de Saint-Luc dans la première moitié du XVIIIe siècle» - *Bulletin de la Société d'Histoire de l'Art français*, 1955, pp. 131-142.

Bresc-Bautier, 1980 Bresc-Bautier (Geneviève), *Sculptures françaises XVIIIe siècle*, Paris, 1980 (Ecole du Louvre, Notices d'histoire de l'Art, n° 3).

Brière, 1907 Brière (Gaston), «Note sur deux réductions de la statue de Louis XV par Bouchardon» - *Bulletin de la Société d'Histoire de l'Art français*, 1907, pp. 104-111.

Brière, 1910 Brière (Gaston), «Une maquette attribuée à Pigalle au musée de l'Armée» - *Bulletin de la Société d'Histoire de l'Art français*, 1910, pp. 196-198.

Brière, 1911 Brière (Gaston), «Rectifications et additions au Catalogue du Musée de Versailles par Soulié» - *Bulletin de la Société d'Histoire de l'Art français*, 1911, pp. 411 et 415.

Brinckmann, 1925 Brinckmann (A.-E.), Barock-Bozzetti, Frankfurt-s/M, 1925.

Brookner, 1965 Brookner (Anita), «Prudhon's The Union of Love and Friendship» - *Art News*, t. 64, 1964-1965 (nov. 65), pp. 36-38.

Bukdhal, 1980 Bukdhal (E.M.), *Diderot critique d'art. Théorie et pratique dans les salons de Diderot*, Copenhague, 1980.

Bukdhal, 1982 Bukdhal (E.M.), *Diderot critique d'art. II, Diderot, les Salonniers et les esthéticiens de son temps*, Copenhague, 1982.

Cahen, 1911 Cahen (Léon), «Documents inédits concernant Pigalle», *Bulletin de la Société d'Histoire de l'Art français*, 1911, pp. 203-208.

Cécil, 1965 Cécil (R.-A.), «French eighteenth Century sculpture formerly in the Hertford - Wallace Collection» - *Apollo*, t. 81, 1965, pp. 449-459.

Chabouillet, 1886 Chabouillet (A.), «Louis XV et Mme de Pompadour» - *Les lettres et les Arts*, juin 1886, pp. 257-284.

Charageat, 1953 Charageat (Marguerite), «Vénus donnant un message à Mercure par Pigalle» - *Revue des Arts*, 1953, p. 219.

Cochin (v. 1775) *Mémoires inédits de Charles-Nicolas Cochin... avec introduction, notes et appendice par M. Charles Henry*, Paris (Baur), 1880, in-8°, p. 192 (Société d'Histoire de l'Art français).

Chaudon, 1789 *Nouveau dictionnaire historique ou histoire abrégée de tous les hommes qui se sont faits un nom par des talens, des vertus, des forfaits, des erreurs, etc. par une Société de Gens de Lettres*, 7ᵉ édition, Caen (Leroy), Lyon (Bruyset), 1789 (par l'abbé L.-M. Chaudon), t. 7, pp. 285-286 (notice Pigalle).

Colton, 1982 Colton (J.), «From Voltaire to Buffon: Further observations on Nudity, Heroic and other wise» dans *Art the Ape of Nature. Studies in Honor of H.N. Janson*, New York (Harry N. Abrams Inc.), 1981, pp. 531-548.

Cordey, 1939 Cordey (Jean), *Inventaire des biens de Mme de Pompadour, rédigé après son décès*, Paris, 1939.

Correspondance littéraire *Correspondance littéraire, philosophique et critique adressée à un souverain d'Allemagne, depuis 1753 jusqu'en 1769 par le baron Grimm et par Diderot*, Ed. Fr. Cheron, Paris (Michaud), 6 vol. in-8°.

Coyecque, 1914 Coyecque (Ernest), «La maison mortuaire de Pigalle», *Bulletin de la Soc. d'Hist. de Paris*, 1914, pp. 36-48.

Dandré-Bardon, 1777 Dandré-Bardon (Michel-François), *Description historique et pittoresque du mausolée de Maurice, comte de Saxe, sculpté par M. Pigalle*, Paris, 1777, in-12°, p. 22.

Des Noiresterres, 1875 Des Noiresterres (Gustave), «Pigalle et la statue de Voltaire» - *l'Art*, t. 1, 1875, pp. 127-131.

Dezallier, 1775 Dezallier d'Argenville, *Voyage pittoresque des environs de Paris*, Paris, 1755.

Dezallier, 1787 Dezallier d'Argenville, *Vies des fameux sculpteurs depuis la Renaissance des Arts avec la description de leurs ouvrages*, Paris (Debare l'aîné), 1787, t. 2, p. 424 (Notice sur Pigalle, pp. 391-407).

Diderot, Œuvres Diderot (Denis), *Œuvres complètes*, édition chronologique (établie) par R. Lewinter, Paris (Club français du Livre), 1969-1973, 15 vol., in-8°.

Diderot, Correspondance Diderot (Denis), *Correspondance recueillie, établie et annotée par G. Roth (et J. Varloot)*, Paris (éd. de Minuit), 1955-1970, 16 vol., in-8°.

Doussault, 1878 Doussault (C.), *La statue de Diane par Jean-Baptiste Pigalle*, Paris (P. Ollendorf), 1878, p. 7.

Dreyfus, 1908 Dreyfus (Carle), «Les statues du dôme des Invalides au XVIIIᵉ siècle», *Archives de l'Art français*, Nouv. per., t. 2, 1908, pp. 260-318.

Dubois-Corneau, 1917 Dubois-Corneau (Robert), *Pâris de Montmartel, banquier de la Cour (1690-1766)*, Paris (J. Meynial), 1917, in-4°, IV-380 p.

Dulaure, 1825 Dulaure (Jacques-Antoine), *Histoire de Paris, depuis les premiers temps historiques jusqu'à nos jours*, Paris (Guillaume, 1825, 8 vol., in-8°).

Duvivier, 1857-1858 Duvivier (A.), «Sujets des morceaux de réception des membres de l'ancienne académie de peinture sculpture et gravure, 1648-1792», *Archives de l'Art français*, documents inédits, t. 5, 1857-1858, pp. 273-333.

Émeric-David [1824] Émeric-David (Toussaint-Bernard), *Sur les progrès de la sculpture française depuis le commencement du règne de Louis XVI jusqu'à aujourd'hui*, Paris (J. Tastu), s.d., 15 p.

Furcy-Raynaud, 1907 Furcy-Raynaud (Marc), *Deux musées de sculpture française à l'époque de la Révolution*, Paris, 1907, in-8°, 11 p.

Furcy-Raynaud, 1909 Furcy-Raynaud (Marc), *Inventaire des sculptures commandées au XVIIIᵉ siècle par la Direction des Bâtiments du Roi (1720-1790)*, Paris (Jean Schmidt), 1909, in-4°, 590 p. (*Archives de l'Art français*, Nouvelle période, t. 14).

Girard, 1892 Girard (C.), «Découverte de deux statues de Jean-Baptiste Pigalle au château de Millemont, note de C. Girard», *Nouvelles archives de l'Art français*, 3ᵉ série, t. 8, 1892, pp. 331-334.

Gonse, 1895 Gonse (Louis), *La sculpture française*, Paris (Librairie de l'Art Ancien et Moderne), 1895, pp. 214-220.

Gordon, 1963 Gordon (Catherine K.), «Mme de Pompadour, Pigalle and the iconography of Friendship», *Art Bulletin*, 1963, pp. 249-265.

Gougenot-des Mousseaux, 1855 Gougenot des Mousseaux, «Notice sur l'abbé Gougenot, lettre à M. Paul Lacroix», *Revue universelle des Arts*, 1855, pp. 439-448.

Grimm Grimm, *Correspondance littéraire...*

Guiffrey, 1882 Guiffrey (J. Jules) «Mémoire et lettre de Pigalle sur la décoration de la place du Peyron à Montpellier (1773)», *Nouvelles archives de l'Art français*, 2ᵉ série, t. 3, 1882, pp. 252-260.

Guiffrey, 1884-1886 Guiffrey (J. Jules), «Scellés et inventaires d'artistes français du XVIIᵉ et du XVIIIᵉ siècle, 1643-1790», *Nouvelles Archives de l'Art français*, 2ᵉ série, t. 4, 1884-1886 (Pigalle, pp. 169-176).

Guiffrey, 1891 Guiffrey (J. Jules), «Le tombeau du maréchal de Saxe par Jean-Baptiste Pigalle. Correspondance relative à ce monument (1752-1783)», Nouvelles Archives de l'Art français, *3ᵉ série, t. 8, 1891, pp. 161-234.*

d'Haussonville, 1903 d'Haussonville (Comte), «La statue de Voltaire par Pigalle», *Gazette des Beaux-Arts*, 1903 (2), pp. 352-370.

Hébert du Peloux, 1959 Hébert de La Rousselière (Dr), Du Peloux (G.), «Histoire d'une statue de Voltaire», *Mémoires de l'Académie des Sciences, Belles Lettres et Arts d'Angers*, t. 3, 1959, pp. 60-76.

Honour, 1968 Honour (Hugh), *Néoclassicism*, Harmonds Worth, 1968, in-4° (Penguin Books).

Huttinger, 1971 Huttinger (Edouard), «Pigalle Grabmal des Marechal de Saxe», dans *Studi di Storia dell'Arte in onore di Antonio Morassi*, Venezia (Alfori), 1971, pp. 357-365.

Ingersoll-Smouse, 1912 Ingersoll-Smouse (Florence), *La Sculpture funéraire en France*, Paris (Jouve & Cⁱᵉ), 1912, pp. 169-175.

Jacquillat, 1939 Jacquillat (Colonel), «La part de Pigalle dans l'érection du Mausolée du Dauphin dans la cathédrale de Sens», *Bulletin de la Société archéologique de Sens*, t. 43, 1939-1943, séance du 7 mars 1939, pp. 27-29.

Jal, 1872 Jal (Auguste), *Dictionnaire critique de biographie et d'histoire*, Paris (Plon), 2ᵉ éd., 1872, in-4°, IV - 1 357 p.

Jalabert, 1958 Jalabert (Denise), Musée national des Monuments français. *La sculpture française*. V. Temps modernes, Paris (Musées nationaux), 1958, in-12°, pp. 25-30.

Janson, 1964 Janson (Horst W.), «Observations on nudity in neo-classicism art», *dans Stil and Uberlieferung in der Kunst des Abendlances*, Berlin, 1967 (Akter 21. Inter. Kongress für Kunstgeschichte, Bonn, 1964), pp. 198-207.

Joubert (v. 1810) Joubert (Joseph), «Pigalle et l'art antique» dans *Pensées de J. Joubert*, précédées de sa correspondance, éd. Paul de Raynal, Paris (Didier et Cie) (5ᵉ éd.), 1869, pp. 252-256.

Lami, 1911 Lami (Stanislas), *Dictionnaire des sculpteurs de l'Ecole française au XVIIIᵉ siècle*, Paris (Honoré Champion), 1911, in-4°, t. 2, pp. 242-255.

Lazard, 1897 Lazard (Lucien), «Documents montmartrois relatifs à Pigalle», *Le Vieux Montmartre*, 1897 (1), p. 11.

Le Corbellier, 1963-1964 Le Corbellier (Clare), «Mercury, messager of taste», *Metropolitain Museum of Art Bulletin*, t. 22, 1963-1964, pp. 22-28.

Legendre, 1765 Legendre (Jean-Gabriel), *Description de la place Louis XV que l'on construit à Reims, des ouvrages à continuer aux environs de cette place et de ceux à faire dans la suite...*, Paris (Prault), 1765, gr. in fol., 17 p.

Legrand, 1911 Legrand (Noël), *Les collections arstistiques de la Faculté de Médecine de Paris. Inventaire raisonné*, Paris (L. Landouzy), 1911, 338 p.

Lenoir (1810) Lenoir (Alexandre), *Musée impérial des Monuments français. Histoire des Arts en France et description chronologique des statues...*, Paris (Hocquart), 1810, in-8°, LXVI-305 p.

Lesueur, 1912 Lesueur (Frédéric), *Menars, le château, le jardin et les collections de Madame de Pompadour et du Marquis de Marigny*, Blois (R. Breton), 1912, in-8°, 628 p.

Levey, 1964 Levey (Michael), «The pose of Pigalle's Mercury», *Burlington Magazine*, t. 106, 1964, pp. 462-468.

Lévitine, 1972 Lévitine (G.), *The Sculpture of Falconet*, Greenwich (New York Graphic Soc.), 1972, 75 p.

Licht, 1982 Licht (Fred), «Friendship» dans *Art the Ape of Nature. Studies in Honor of H.W. Janson*, New York (Harry N. Abrams Inc.), 1981, pp. 559-568.

Malbois, 1922 Malbois (Abbé Emile), «Projets de place devant Saint-Sulpice par Servandoni», *Gazette des Beaux-Arts*, 1922 (2), pp. 283-292.

Manuel, 1789   Manuel (Louis-Pierre), *L'année française ou vies des hommes qui ont honoré la France pour tous les jours de l'année*, Paris (Nyon l'aîné et fils), 1789, 4 vol. in-12°.

Mariette (v. 1765)   Mariette (P.-J.), *Abécédario... et autres notices inédites*, Ed. Ph. Chennevières et A. Montaiglon, t. 4, pp. 155-157 (notice sur Pigalle) *(Archives de l'Art français, t. 8, 1857-1858)*.

Marquet de Vasselot, 1896   Marquet de Vasselot (J.-J.), «Quelques œuvres inédites de Pigalle», *Gazette des Beaux-Arts*, 3ᵉ période, t. 16, 1896 (2), pp. 391-406.

Mémoires secrets, 1762-1785   *Mémoires secrets pour servir à l'histoire de la République des Lettres en France* (publiés par Louis Petit de Bachaumont jusqu'en 1771. Continués par Pidansat de Maurobert et Moufle d'Angerville), Ed. Londres, 1787.

Moufle d'Argenville   Cf. Mémoires secrets...

Montaiglon, 1858-1860   Montaiglon (Anatole de), «Jean-Baptiste Pigalle», *Archives de l'Art français*, t. 6, 1858-1860, pp. 104-111.

Montaiglon, 1875-1892   *Procès-verbaux de l'Académie royale de Peinture et de Sculpture (1648-1792)*, Ed. Anatole de Montaiglon, Paris, 1875-1892, 10 vol. *(Société de l'Histoire de l'Art français)*.

Mopinot, 1786   Mopinot de La Chapotte (Antoine-Rigobert), *Eloge historique de Pigal, célèbre sculpteur suivi d'un mémoire sur la sculpture en France*, Londres (Paris?) (Hardouin et Cuthey), 1786, in-4°, 31 p.

Michel, 1906   Michel (André), «Récentes acquisitions de la Sculpture au Louvre» dans *Gazette des Beaux-Arts*, 1906, p. 413.

Michel, 1912 (2)   Michel (André), «Les accroissements du département des Sculptures» dans *Gazette des Beaux-Arts*, 1912 (2), p. 295 et suiv.

Michel, 1912 (1)   Michel (André), «Une maquette du tombeau du Maréchal de Saxe», dans *les Musées de France*, 1912, nº 3, p. 47.

Mouchy, 1790   «Inventaire des sculptures et statues de la Maison des Cordeliers, faits par M. Mouchy, le 15 décembre 1790, document... annoté par J. Jules Guiffrey», *Nouvelles Archives de l'Art français*, 2ᵉ série, t. 2, 1880-1881, pp. 285-286.

Niclausse, 1947   Niclausse (Juliette), *Pierre-Philippe Thomire*, Paris (Grund), 1947, 139 p.

Niclausse, 1948   Niclausse (Juliette), «Un buste de Voltaire par Pigalle», *Bulletin de la Société d'Histoire de l'Art français*, 1948, p. 95.

«Notables Works, 1965   «Notables works of Art now on the Market», *Burlington Magazine*, t. 107, 1965, pp. 954 *bis*-958 *bis*.

«Notes», 1903   «Notes on various works of Art: a statuette by Pigalle», *Burlington Magazine*, t. 1, 1903, pp. 231-232.

Patte, 1765   Patte (Pierre), *Monuments érigés en France à la gloire de Louis XV, précédés d'un tableau des progrès des arts...*, Paris (Desaint), 1765, in fol. 232 p.

Pélissier, 1907   Pélissier (Georges), *Pigalle, his life and work*, New York (Tiffany and Co.), 1907 (autographié, non pag.).

Pélissier, 1908 (1)   Pélissier (Georges), *The Mercury and the Venus aux Colombes*, New York (Tiffany and Co.), 1908 (autographié, non pag.).

Pélissier, 1908 (2)   Pélissier (Georges), *The Enfant à la cage*, New York (Tiffany and Co.), 1908 (autographié, non pag.).

Pidansat de Maurobert   Cf. Mémoires secrets...

Plantet, 1885   Plantet (Eugène), *La Collection de statues du Marquis de Marigny, d'après les documents conservés aux Archives nationales*, Paris (A.-Quantin), 1885, in-8°, III-179 p.

Pradel, 1945-1946   Pradel (Pierre), «Les morceaux de réception des sculpteurs à l'Académie royale», *Bulletin de la Société d'Histoire de l'Art français*, 1945-1946, pp. 92-95.

Raggio, 1967   Raggio (Olga), «Two great portraits by Lemoyne and Pigalle», *The Metropolitan Museum of Art Bulletin*, 1967, pp. 219-229.

Ratouis de Limay, 1907   Ratouis de Limay (Paul), *Un amateur orléanais au XVIIIᵉ siècle, Aignan-Thomas Desfriches (1715-1800), sa vie, son œuvre, ses collections, sa correspondance...*, Paris (H. Champion), 1907, in-8°, XXXI-211 p.

Réau, 1921   Réau (Louis), «Une statue de Pigalle retrouvée: La Moissonneuse ou l'Abondance», *Revue de l'Art ancien et moderne*, janvier 1921, pp. 50-62.

Réau, 1922 (1)   Réau (Louis), «Un type d'art Pompadour: l'offrande du cœur», *Gazette des Beaux-Arts*, 1922 (1), pp. 213-218.

Réau, 1922 (2)   Réau (Louis), «La dernière œuvre de Pigalle retrouvée: le buste de Perronet», *Revue de l'Art ancien et moderne*, décembre 1922, pp. 392-396.

Réau, 1922 (3)   Réau (Louis), *Maurice-Etienne Falconet* Paris (Demotte), 1922, 2 vol. in-4°.

Réau, 1923 (1)   Réau (Louis), «Quelques œuvres inédites de Pigalle», *Revue de l'Art Ancien et Moderne*, mai 1923, pp. 383-390.

Réau, 1923 (2)   Réau (Louis), «Nouveaux compléments à l'œuvre de Pigalle», *Bulletin de la Société d'Histoire de l'Art français*, 1923, pp. 317-320.

Réau, 1927   Réau (Louis, *Une dynastie de sculpteurs au xviiᵉ siècle: les Lemoyne*, Paris (Les Beaux-Arts. Edition d'Etudes et de documents), 1927.

Réau, 1930   Réau (Louis), «Un sculpteur oublié du xviiiᵉ siècle: Louis-Claude Vassé (1716-1772)», *Gazette des Beaux-Arts*, 1930 (2), pp. 31-56.

Réau, 1936   Réau (Louis), «Les maquettes des sculpteurs français du xviiiᵉ siècle, *Bulletin de la Société d'Histoire de l'Art français*, 1936, pp. 7-28.

Réau, 1950   Réau (Louis), *Jean-Baptiste Pigalle*, Paris (Tisné), 1950, in-8°, v-190 p. (Coll. *Les grands Sculpteurs français*, préface de Francis Salet).

Réau, 1964   Réau (Louis), *Jean-Baptiste Houdon, sa vie et son œuvre*, Paris (De Nobele), 1964, 2 vol. in-4°.

Rocheblave, 1901   Rocheblave (Samuel), *Le Mausolée du Maréchal de Saxe par J.-B. Pigalle*, Paris (F. Alcan), 1901, in-8°, 43 p.

Rocheblave, 1902   Rocheblave (Samuel), «J.-B. Pigalle et son Art», *Revue de l'Art ancien et moderne*, t. 12, 1902, pp. 267-280 et 353-369.

Rocheblave, 1905   Rocheblave (Samuel), «La femme dans l'œuvre de J.-B. Pigalle», *Revue de l'Art ancien et moderne*, t. 17, 1905, pp. 413-418, t. 18, 1905, pp. 43-53.

Rocheblave, 1906   Rocheblave (Samuel), «Le Temple de l'Amitié au château de Betz (Oise)», *Musées et Monuments de France*, 1906, nᵒ 10, pp. 156-158.

Rocheblave, 1911   Rocheblave (Samuel), «Enfant à l'oiseau de Pigalle au musée du Louvre», *Les Musées de France*, 1911, pp. 50-52.

Rocheblave, 1913   Rocheblave (Samuel), «Pigalle sculpteur officiel: ses grands travaux entre 1750 et 1765», *Revue du xviiiᵉ siècle*, t. 1, janv.-mars 1913, pp. 74-92.

Rocheblave, 1916   Rocheblave (Samuel), «Le mariage de Jean-Baptiste Pigalle», *Archives de l'Art français*, Nouvelle période, t. 8, 1914, p.   , *Mélanges Jules Guiffrey*.

Rocheblave, 1919   Rocheblave (Samuel), *Jean-Baptiste Pigalle*, Paris (E. Levy), 1919, in-4°, XVI-388 p. (Coll. *Les grands Sculpteurs français*).

Saint Foix, 1777   Poullain de Saint Foix (Augustin), «Description du Tombeau du Maréchal de Saxe», dans *Essais historiques sur Paris*, 1776-1777, 7 vol. v. 3, pp. 56-59.

Samoyault, 1971   Samoyault (Jean-Pierre), «Les remplois de Sculptures... dans la décoration du Palais de Saint-Cloud», dans *Bulletin de la Société d'Histoire de l'Art français*, 1971, p. 162.

Sarazin, 1911   Sarazin (Charles), *La place Royale de Reims*, Reims (L. Morice), 1911, in-8°, 161 p.

Sauerlander, 1963   Sauerlander (Willibald), *Jean-Antoine Houdon: Voltaire*, Stuttgart (Reclam), 1963, in-8°, 32 p. (Werkmonographien zur Bildende Kunst, 89).

Seidel, 1900   Seidel (Paul), *Les collections d'art de Frédéric le Grand à l'exposition universelle de Paris*. Catalogue descriptif... traduit par Paul Vitry et J.-J. Marquet de Vasselot, Berlin (Tiesecke), 1900, in-16°, XII-95 p.

Souchal, 1961   Souchal (François), «Variations sur un thème de sculpture antique: la joueuse d'osselets», *Gazette des Beaux-Arts*, t. 57, 1961, pp. 257-272.

Souchal, 1967   Souchal (François), *Les Slodtz sculpteurs et décorateurs du roi (1685-1764)*, Paris (De Nobele), 1967, p. 759.

Souchal, 1979   Souchal (François), «Situation de la sculpture en France en 1778», *Dix-huitième siècle*, 1979 (numéro spécial: l'année 1779),pp. 117-128.

Souchal, 1980   Souchal (François), *Les frères Coustou et l'évolution de la sculpture française du dôme des Invalides aux chevaux de Marly*, Paris (de Boccard), 1980 in-4°, 269 p.

Soyer, 1901   Soyer (Jacques), *Projet par Pigalle d'un monument à élever à Orléans en l'honneur de Jeanne d'Arc*, 1761, Orléans (Paul Rigeler), 1901, 30 p.

Stein, 1890   Stein (Henri), «Etat des objets d'art placés dans les monuments religieux et civils de Paris au début de la Révolution française, d'après des documents inédits», *Nouvelles Archives de l'Art français*, 1890, pp. 15, 74, 99.

Suard, 1786   Suard (Jean-Baptiste), *Mélanges de littérature*, Paris (Dentu), 2ᵉ éd., t. 3, 1806, pp. 285-309: «Eloge de Pigalle» (réimpression de l'article du journal de Paris des 12 et 24 sept. 1786).

Tarbé, 1859   Tarbé (Prosper), *La vie et les œuvres de Jean-Baptiste Pigalle, sculpteur*, Paris (Veuve Renouard), et Reims (P. Régnier), 1859, in-8°, 268 p.

Thiery, 1786-1787   Thiery (Luc-Vincent), *Guide des amateurs et des étrangers voyageurs à Paris ou Description raisonnée de cette ville et de tout ce qu'elle contient de remarquable*, Paris (Hardouin et Gattey), 1786-1787, 2 vol.

Vasselle, 1967   Vasselle (Dr), «Le Voltaire nu de Pigalle au château d'Hornoy», dans *Bulletin trimestriel de la Société des Antiquaires de Picardie*, 1967, pp. 53-58.

Vasselle, 1969   Vasselle (Pierre), «Le Voltaire nu de Pigalle», *Le Vieux Papier*, t. 25, 1969 (n° 231), pp. 333-336.

Verdier, 1960   Verdier (Philippe), «Eighteenth Century French clocks of love and friendship», *The Connoisseur*, t. 145, 1960, pp. 281-284.

Vitry, 1908   Vitry (Paul), «Les accroissements du département de la Sculpture» dans *Revue de l'art ancien et moderne*, t. 23, 1908, p. 207.

Vitry, 1922   Vitry (Paul), *Catalogue des sculpteurs du Moyen Age, de la Renaissance des Temps modernes. Deuxième partie, Temps modernes*, Paris (Musées nationaux), 1922, in-12°, 100 p.

Vitry, 1925   Vitry (Paul), «La sculpture française dans la seconde moitié du XVIIIe siècle», dans André Michel, *Histoire de l'Art*, t. 7 (2), 1925, pp. 550-556.

Vitry, 1929   Vitry (Paul), «Une maquette du "Citoyen" de Pigalle» dans *Bulletin des Musées de France*, 1929, pp. 242-249.

Wildenstein, 1915   Wildenstein (Georges), «Un chef-d'œuvre retrouvé: le buste de la marquise de Pompadour par J.-B. Pigalle», *Bulletin de la Société d'Histoire de l'Art français*, 1915-1917, pp. 65-81.

Expositions

Bordeaux, 1980: «Les Arts du théâtre de Watteau à Fragonard». Bordeaux, Galerie des Beaux-Arts, 9 mai-1er septembre 1980.

Londres, 1969: «French Portraits in Painting and Sculpture (1465-1800)». Londres, Heim Gallery, Summer Exhibition, 1969.

Lyon-Paris, 1980: «Soufflot et son temps». Lyon, Musée des Beaux-Arts, juin-juillet 1980. Paris, Hôtel Sully, octobre-décembre 1980.

Munich, 1958: «Le Siècle du Rococo». Munich, Residenz, 15 juin-15 septembre1958 (IVe exposition du Conseil de l'Europe).

New York, 1935: «French Painting and Sculpture of the XVIII century». New York, Metropolitan Museum, 1935-1936.

Paris, 1883: «L'Art du XVIIIe siècle», Paris, Galerie Georges Petit, décembre 1883-janvier 1884.

Paris, 1898: «L'Art français sous Louis XIV et Louis XV». Paris, Hôtel de Chimay (au profit de l'œuvre de l'Hospitalité de Nuit), 1888.

Paris, 1934: «Les artistes français en Italie de Poussin à Renoir». Paris, Musée des Arts décoratifs, 1934.

Paris, 1937: «Chefs-d'œuvre de l'art français». Paris, Palais national des Arts, 1937.

Paris, 1938: «Trésors de Reims». Paris, 1938.

Paris, 1945: «Nouvelles acquisitions». Paris, Musée du Louvre, 1945.

Paris, 1947: «La Suède à Paris». Paris, Musée Carnavalet, 1947.

Paris, 1950: «Louis XV et Rocaille». Paris, Orangerie des Tuileries, 1950.

Paris, 1957-1958: «Le portrait français de Watteau à David». Paris, Orangerie des Tuileries, décembre 1957-mars 1958.

Paris, 1967: «Evocation de l'Académie de France à Rome». Paris, Institut de France, Académie des Beaux-Arts, juin-juillet 1967.

Paris, 1967-1968: «Vingt ans d'acquisitions au Musée du Louvre, 1947-1967». Paris, Orangerie des Tuileries, décembre 1967-mars 1968.

Paris, 1974: «Louis XV. Un moment de perfection de l'Art français». Paris, Hôtel de la Monnaie, 1974.

Paris, 1974-1975: «L'U.R.S.S. et la France. Les grands moments d'une tradition». Paris, Grand Palais, 14 décembre 1974-15 février 1975.

Paris, 1980: «Cinq années d'enrichissement du Patrimoine». Paris, Grand Palais, 1980.

Paris, 1980-1981: «Portrait et société en France (1715-1789)». Paris, Palais de Tokyo. Musée d'Art et d'Essai, 1980-1981 (Cahiers du Musée d'Art et d'Essai, n° 5).

Paris, 1984: «La Nouvelle-Athènes». Paris, Musée Renan-Scheffer, juin-octobre 1984.

Paris, 1984-1985: «Diderot et l'art, de Boucher à David. Les Salons, 1759-1781». Hôtel de la Monnaie, octobre 1984-janvier 1985.

Sens, 1966: «Deuxième centenaire de la mort du Dauphin, fils de Louis XV et de la Dauphine Marie-Josèphe de Saxe et de leur inhumation à la cathédrale de Sens (1765-1767)». Sens, cathédrale, 1966.

Versailles, 1981: «L'Art rétrospectif». Versailles, 1e juin-15 juillet 1881.

Vienne, 1966: «L'Art et la Pensée française». Vienne, Oberes Belvedere, 1966.

Index

Crédits photographiques